中國文史經典講堂

# 明清小品選評

編選單位 中國社會科學院文學研究所
主編 楊義 副主編 劉躍進
選注・譯評 李玫

責任編輯　　崔　衡
裝幀設計　　鍾文君

書　　名　　中國文史經典講堂・明清小品選評
編選單位　　中國社會科學院文學研究所
主　　編　　楊　義
副 主 編　　劉躍進
選注・譯評　　李　玫
出　　版　　三聯書店（香港）有限公司
香港鰂魚涌英皇道 1065 號 1304 室
JOINT PUBLISHING (H.K.) CO., LTD.
Rm. 1304, 1065 King's Road, Quarry Bay, Hong Kong
發　　行　　香港聯合書刊物流有限公司
香港新界大埔汀麗路 36 號 3 字樓
SUP PUBLISHING LOGISTICS (HK) LTD.
3/F., 36 Ting Lai Road, Tai Po, N.T., Hong Kong
印　　刷　　深圳中華商務安全印務股份有限公司
深圳市龍崗區平湖鎮萬福工業區
版　　次　　2006 年 6 月香港第一版第一次印刷
規　　格　　大 32 開（140 × 210mm）260 面
國際書號　　ISBN-13: 978 · 962 · 04 · 2530 · 1
ISBN-10: 962 · 04 · 2530 · 8

Published in Hong Kong

# 主編的話

中國正在經歷着巨大的變革，已經成為全世界矚目的焦點；中華民族創造的輝煌文化也日益顯現出它的奪目光彩。華夏五千年文明，就是我們民族生生不已的活水源頭，就是我們民族卓然獨立的自下而上之根。

“問渠哪得清如許，為有源頭活水來。”

為探尋這活水源頭，為培植這生存之根，中國社會科學院文學研究所成立五十多年來，一直把文化普及工作放在相當重要的位置，並為此做了大量的、卓有成效的工作。早在二十世紀五六十年代，文學研究所就集中智慧，着手編纂《文學概論》、《中國少數民族文學史》、《中國文學史》、《中國現代文學史》等通論性的論著。與此同時，像余冠英先生的《樂府詩選》(1953年出版)、《三曹詩選》(1956年出版)、《漢魏六朝詩選》(1958年出版)，王伯祥先生的《史記選》(1957年出版)，錢鍾書先生的《宋詩選注》(1958年出版)，俞平伯先生的《唐宋詞選釋》(初名《唐宋詞選》，1962年內部印行，1978年正式出版)，以及在他們主持下編選的《唐詩選》等大專家編寫的文學讀本也先後問世，印行數十萬冊，在社會上產生了廣泛而又深遠的影響。進入新的時期，文學研究所秉承傳統，又陸續編選了《古今文學名篇》、《唐宋名篇》、《台灣愛國詩鑒》等，並在修訂《不怕鬼的故事》的基礎上新編《不信神的故事》等，贏得了各個方面的讚譽。

擺在讀者面前的這套“中國文史經典講堂”依然是這項工

作的延續。其編選者有年逾古稀的著名學者，也有風華正茂的年輕博士，更多的是中青年科研骨幹。我們希望通過這樣一項有意義的文化普及工作，在傳播優秀的傳統文學知識的同時，能夠讓廣大讀者從中體味到我們這個民族美好心靈的底蘊。我們誠摯地期待着廣大讀者的批評指正。

# 目　錄



## 明　代

## 清　代

# 前　言

“小品”通常指篇幅較短的散文。其主要特徵為表現手法靈活自由，深入淺出；表現的內容包羅萬象，不拘一格。所以有人稱之為“自由文體”。小品作為一種文學樣式自古就有，其存在形式多種多樣，既可以是古文、隨筆，也可以是筆記、序跋、書信等。到了明清兩代，小品空前盛行，成為明清兩代具有代表性的文學體裁之一。

小品在明代盛行，與明代中期以後悖逆禮教以及個性自覺的思潮相關。追求“各任其性”、“率性而行”（明袁宏道《識張幼於箴銘後》）是小品繁盛的內在驅動力。文人、士大夫們通過小品，找到了一種可以隨心所欲地抒發性情、表現自我的渠道；明清兩代，基於大量的小品創作，文人、士大夫充分認識和把握了小品這種體裁文學表現的優勢，充分調動、發揮了小品文從文體到內容靈活、自由的特性。

稱小品為自由文體，因為它既可以有實用性，也可以完全排除功利之需，用於自娛自樂。其中關鍵的一點，是因為它擺脫了“古文”形式上的束縛，卸下了自古以來“文以載道”的重負。小品實際上更多地表現了那個時代文人、士大夫的性情及情趣。小品的形式沒有定格，內容無所限制。其表現的題材，事無巨細，均可包容。無論是風花雪月，還是懷古傷今；小到描寫個人的點滴感受，大到評說國家的毀譽存亡；輕則描寫一花一草，重則感慨英雄成敗。其描寫風格，可深可淺，可虛可實，可莊可諧。其中，有栩栩如生的人物，有娓娓道來的故事，有刻骨銘心的經歷，有妙趣橫生的情景，有縈繞於心的親情，有如詩如畫的美景，有茅塞頓開的感悟，有明睿智慧的思考……無所拘束，自由揮灑。所經所見，所歷所感，只要覺得有意思，有趣味，都可以信筆記下。明清小品的作者在小品創作中開闢了一片自由的精神園地。"率直則性靈現，性靈現則趣生"（明陸雲龍《敘袁中郎先生小品》），正因為如此，明清小品才具有"供人愛玩"、"怡人耳目，悅人心情"（明鄭元勳《媚幽閣文娛自序》）的審美效果。

今天我們翻開明清的小品文，就像聽着那些文人士子在談天說地，議古論今。摒除了慣常的說教姿態，輕鬆隨意而妙語紛至。正如陳繼儒在《文娛序》中評論晚明小品所說："皆芽甲一新，精彩八面，有法外法，味外味，韻外韻。"

本書所選，是明清兩代具有代表性的小品作品。編選宗旨有如下幾點：其一，既盡量編選膾炙人口的名家名篇，也選一些較優秀的、有特點的、但不一定廣為人知的作品，以求不與其他選本雷同；其二，盡量多地選入不同作者的作品，力求全書所選作品風格多樣；其三，兼顧不同角度、不同內容的作品，以顯示小品獨特的表現力。

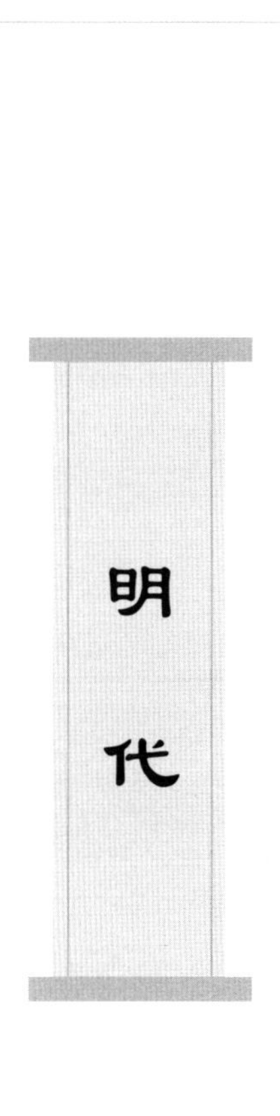
明代

# 送東陽馬生序[1]

宋濂

余幼時即嗜學。家貧，無從致書以觀，每假借於藏書之家，手自筆錄，即日以還。天大寒，硯冰堅，手指不可屈伸，弗之怠。錄畢，走[2]送之，不敢稍逾約。以是人多以書假余，余因得遍觀群書。

既加冠[3]，益慕聖賢之道，又患無碩師[4]、名人與遊，嘗趨百里外，從鄉之先達[5]執經叩問。先達德隆望尊，門人弟子填其室，未嘗稍降辭色[6]，余立侍左右，援疑質理，俯身傾耳以請。或遇其叱咄，色愈恭，禮愈至，不敢出一言以復。俟其欣悅，則又請焉。故余雖愚，卒獲有所聞。

當余之從師也，負篋曳屣[7]行深山巨谷中。窮冬[8]烈風，大雪深數尺，足膚皸裂而不知。至舍，四肢僵勁不能動，媵人[9]持湯沃灌，以衾擁覆，久而乃和。寓逆旅[10]，主人日再食[11]，無鮮肥滋味之享。同舍生皆被綺繡，戴珠纓寶飾之帽，腰白玉之環，左佩刀，右佩容臭[12]，燁然若神人。余則緼袍[13]敝衣處其間，略無慕艷意。以中有足樂者[14]，不知口體之奉不若人也。蓋余之勤且艱若此。今雖耄老[15]，未有所成，猶幸預[16]君子之列，而承天子之寵光，綴公卿之後，日侍坐備顧問，四海亦謬稱其氏名，況才之過於余者乎？

今諸生學於太學[17]，縣官[18]日有廩稍之供，父母歲有裘葛之遺，無凍餒之患矣；坐大廈之下而誦詩書，無奔走之勞矣；有司業、博士[19]為之師，未有問而不告，求而不得者也；且所宜有之書，皆集於此，不必若余之手錄，假諸人而後見也。其業有不精、德有不成者，非天質之卑，則心不若余之專耳，豈他人之過哉！

東陽馬生君則，在太學已二年，流輩[20]甚稱其賢。余朝京師，生以鄉人子謁余，撰長書以為贄，[21]辭甚暢達。與之論辯，言和而色夷[22]。自謂少時用心於學甚勞，是可謂善學者矣。其將歸見其親也，余故道為學之難以告之。謂余勉鄉人以學者，余之志也；詆我誇際遇之盛而驕鄉人者，豈知余者哉！

## 注釋

1. 東陽：今浙江省東陽縣。馬生：這裏指姓馬的太學生。
2. 走：跑。這裏指趕快。
3. 加冠：20 歲。古代男子 20 歲舉行加冠禮，表示成年。
4. 碩師：有名望而博學的老師。
5. 先達：學問淵博的前輩。
6. 未嘗稍降辭色：先生的言辭、神色始終嚴肅認真。
7. 負篋曳屣：揹着小箱子（裝書），拖着鞋。
8. 窮冬：深冬。
9. 媵人：婢女。

10. 逆旅：客店。

11. 日再食：一天給送兩頓飯。

12. 容臭：香袋。

13. 縕袍：用新舊混合的絲棉做的袍子。

14. 中有足樂者：心中有足夠的樂趣。

15. 耄老：年老，古人以八九十歲的年紀稱為耄。

16. 預：加入。

17. 太學：中國古代設在京城的最高學府。

18. 縣官：此處指朝廷。廩稍，即廩食，公家供給的津貼和膳食。

19. 司業、博士：太學中的官員，教師。

20. 流輩：同輩。

21. 長書：長信。贄：初次見尊長時送的禮物。

22. 夷：平和。

## 串講

我從小就喜歡讀書。家裏貧窮，買不起書來讀，就向有書的人家去借，然後抄錄，計算好還書的日子。天氣特別寒冷的時候，硯中的墨汁都凍成了冰，手指凍僵，不能彎曲，即使這樣仍然毫不懈怠。抄錄完了，趕快還給人家，一點兒也不敢超過約定的日期。所以人家大都願意把書借給我，我因而得以博覽群書。

到了二十歲，我更加傾慕聖賢之道。因為沒有博學多識而有名望的老師可以交往，常趕到百里之外，向同鄉中有學問的前輩請教。這位長輩德高望重，屋子裏常常坐滿了賓客和學生，他的表情和言談始終嚴肅而莊重。我站在旁邊，恭恭敬敬地向他請教，有時遭到他的訓斥，便更加謙恭有禮，一句話都不敢說，等他高興了，再把問題提出來向他請教。這樣，我雖然笨，還是從他的教導中獲益很多。

當我求學的時候，揹着書箱走在深山峽谷之中，數九嚴冬，寒風凜冽，大雪深達幾尺。腳凍得裂開了口子都不知道。四肢凍得僵硬麻木了。婢女端來熱水讓我喝；用衣服被子將我包裹，好半天才暖和過來。住在旅店裏，主人每天給兩頓飯，沒有新鮮豐盛的滋味可以享受。和我同住的學生，都身穿綾羅綢緞、頭戴鑲嵌着珠寶的帽子，腰間佩戴着玉環、香袋或別的裝飾品，華麗得像神仙一樣。我則穿着粗布衣服，與他們相處，並沒有羨慕他們的心思。因為內心充實、快樂，所以並不覺得嘴裏吃的、身上穿的不如別人。我就是這樣勤奮艱難求學的。如今年紀雖然老了，也沒有多大成就，但仍然得到皇帝的賞識，與王公貴族地位相當，海內也享有名氣。

如今各位就讀於太學，每天有朝廷供應食品和津貼，每年有家裏帶來的衣服，不用擔心受凍捱餓，身居大廈讀詩書，沒有四處奔波的辛苦，有那麼多博學的老師，不愁問題得不到解答，有用的書都集中在這裏，不像我當初要手抄，要找人借來才能看到。那些學業和品德得不到提高的人，不是因為天分太低，而是不像我這樣專心學習罷了，不必怨天尤人。

東陽的馬生在太學讀書二年了，大家都說他很用功。他來看望我，寫了長信作為禮物送給我，文筆非常流暢，談話語氣平和。他說自己從小學習很努力，這是個善於學習的人。如今他要回鄉探親，我將求學的艱難講給他聽，勉勵鄉親努力求學是我的願望，詆毀我的人說我以自己的境遇向鄉親誇耀，這哪裏是瞭解我的人呢。

## 評析

宋濂（1310—1381），字景濂，號潛溪，浦江（今浙江浦江）人。元至正年間，薦授翰林編修，以親老辭不就。朱元璋取婺州後，受徵聘江南儒學提舉。明洪武二年詔修《元史》，任總裁官。官至翰林學士承旨和制誥，是明朝開國文臣之首。洪武十年，年邁辭官回鄉。洪武十三年因長孫宋慎坐胡惟庸案，全家流放四川茂州，行至夔州因病死去。他是元末明初著名的散文作家，與他同時代的劉基曾推許他為"當今文章第一"。

這是宋濂在京城做官時寫給同鄉晚輩馬君則的一篇贈序。贈序是古代文章體裁的一種，為古人送別贈言的文章。本文的主旨是勉勵晚輩青年勤學上進，文章寫得誠懇平易，全然沒有長者對後輩、學有造詣的先生對學生的威嚴說教。雖然講的是求學的道理，但沒有用旁徵博引來顯示自己學識淵博，也不是用高談闊論去指教對方，而是先介紹自己早年的學習經歷，用求書之難和求師之難說明當初學習的艱辛，並以此與現時太學生優越的學習條件進行對比，太學生們沒有求師求書之慮，也沒有衣食之憂，從而自然而然得出結論：要想學有所成，客觀條件固然重要，但不是決定因素，關鍵在於人的精神和意志。只要有勤奮學習的精神，虛心的學習態度，堅強的意志，堅持到底的毅力，終將有所成就。倘若心不專，體不勤，條件再好，也將一事無成。埋怨天資不高，抱怨環境不好都是沒有道理的。求學與做其他任何事情一樣，只有專心致志，認真堅韌，克服困難，持之以恆，才能把握機遇，成就事業。文章說理清楚，字裏行間傾注着對後輩的關愛之情。

# 虞孚[1]售漆

劉基

虞孚問治生於計然先生，得種漆之術。三年，樹成而割之，得漆數百斛[2]，將載而鬻[3]諸[4]吳[5]。其妻之兄謂之曰："吾常於吳商，知吳人尚[6]飾[7]，多漆工，漆於吳為上貨。吾見賣漆者，煮漆葉之膏以和漆，其利倍而人弗[8]知也。"虞孚聞之，喜如[9]其言，取漆葉煮為膏，亦數百甕[10]，與其漆俱載以入於吳。時吳與越惡，越賈不通，吳人方艱漆。吳儈[11]聞有漆，喜而逆[12]諸郊，道[13]以入吳國，勞[14]而舍諸私館。視其漆甚良也，約旦夕[15]以金幣來取漆，虞孚大喜。夜，取漆葉之膏和其漆以俟[16]。及其吳儈至，視漆之封識[17]新，疑之，謂虞孚請改約。期二十日至，則其漆皆敗矣。虞孚不能歸，遂丐死於吳。

## 注釋

1. 虞孚：作者虛構的人名。
2. 斛：古代量器名，最早以十斗為一斛，後來又以五斗為一斛。
3. 鬻：賣。
4. 諸：之於的合音詞。
5. 吳：古代國名，在今江蘇南部、浙江北部一帶。
6. 尚：崇尚、愛好。
7. 飾：裝飾。
8. 弗：不。

9. 如：依照、順從。

10. 甕：口小腹大的罎子。

11. 儈：舊指買賣的經紀人。

12. 逆：迎接。

13. 道：通“導”，引導，領着。

14. 勞：慰勞。

15. 旦夕：早晚，指很快，過不久。

16. 俟：等。

17. 封識：封記。識同“誌”。

## 串講

虞孚向計然先生請教謀生的方法，學到了種漆樹的技術。三年以後，漆樹長成，可以割樹取漆了，虞孚收穫了幾百斛漆，準備運到吳國去賣。他妻子的哥哥對他說：“我常到吳國去做買賣，知道吳國人喜歡裝飾，因此漆工很多，漆在吳國是好銷的貨。我看到賣漆的人，把漆葉煮成膏摻進漆裏去，盈利加倍了，而人們卻不知道。”虞孚聽後，就高興地照他說的去做，把漆樹葉採摘來熬成膏，裝了幾百罎，和漆一起運到吳國。當時，吳國與越國關係不好，越國賣漆的商人進不去，而吳人正苦於到處買不到漆。吳國的商販聽說有賣漆的來了，就高興地到郊外去迎接，把虞孚引到吳國，一邊慰勞他，一邊安排他住進私人賓館。吳國商人看了虞孚帶的漆，認為漆很好，便約定很快帶金幣來取漆，虞孚非常高興。當天夜裏，他把漆葉熬成的膏摻進漆裏去，等待着吳國商人的到來。吳國商人來後，看到漆罎上的封口標記是新貼的，覺得可疑，對虞孚說，要求改變取貨日期。取貨日期向後拖延了二十天，等到二十天期滿時，他的漆都壞了。虞孚於是破產，淪為乞丐死在了吳國。

## 評析

劉基（1311－1375）字伯溫，處州青田（今浙江文成）人。元至順四年（1333）進士，曾任江浙儒學副提舉、浙東元帥府都事等職。為招安方國珍之事與朝廷政見不合受處分，不久辭官歸田。後輔佐朱元璋奪取天下，建立明王朝，是開國功臣之一。官御史中丞兼太史令，封誠意伯。因與丞相李善長不和，洪武四年（1371）辭歸。後受構陷，憂憤而死。他博通經史，兼擅詩文，是元末明初著名的散文家、詩人，散文尤其善於運用寓言形式、形象生動，文筆鋒利。

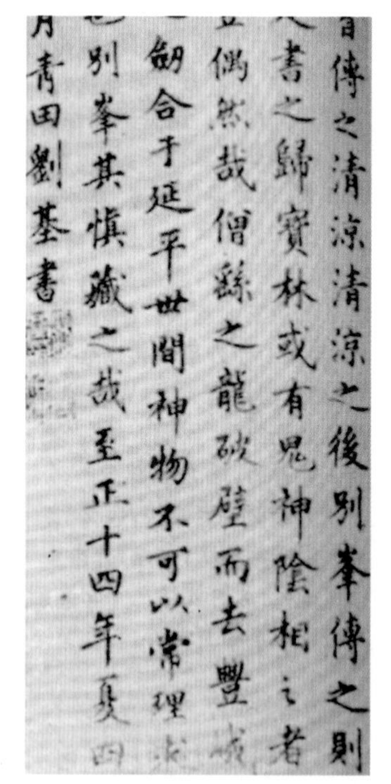

劉基墨跡

文章講述了一個貪心不足的商人的故事。道理很簡單，人心不足，弄虛作假，終會自食苦果。故事也不複雜，看起來是平鋪直敘，但仔細琢磨，就不難發現作者的匠心。前面的娓娓道來，與後面的巨大轉折形成對比，使結局具有強烈的戲劇效果。主人公原本是個老實巴交的人，學了做漆的手藝，三年後有了收穫。這其中包含了多少心血、多少辛勞、多少希望。他的貨本來質量很好，而且在吳地非常緊俏，他的辛苦和希望馬上就要得到豐厚的回報了。文章詳盡描寫當地商人對他熱情歡迎的種種細節，預示着即將大功告成的前景。然而由於貪心不足，弄虛作假，致使形勢急轉直下，不僅眼看到手的金錢化為泡影，而且厄運無可挽回，最後竟然淪為乞丐，客死他鄉。主人公的結局僅用了幾個字："丐死於吳"，與剛到吳國的熱鬧場面恰成鮮明對照，真是一失足成千古恨。得意與失意，盈利與吃虧，往往就在於一念之差，僥倖鑽空子的心理，萬萬有不得。文章還給我們這樣的啟示，生活中常常有人給出主意，有的是有益的指點，有的是害人的陷阱，自己要多加分析，作出正確的決斷。有些建議雖然來自親朋好友，儘管是善意的，但如果盲目聽從，也有可能起負面作用，甚至讓人遺恨終身。

# 賣柑者言

劉基

杭有賣果者，善藏柑，涉寒暑不潰。出之燁然，玉質而金色。置於市。賈[1]十倍，人爭鬻[2]之。

予貿[3]得其一，剖之，如有煙撲口鼻，視其中，則乾若敗絮。予怪而問之曰："若所市於人者，將以實籩豆[4]，奉祭祀，供賓客乎？將炫外以惑愚瞽也？[5]甚矣哉，為欺也！"

賣者笑曰："吾業是有年[6]矣，吾賴是以食吾軀。吾售之，人取之，未嘗有言，而獨不足子所[7]乎？世之為欺者不寡矣，而獨我也乎？吾子未之思也。今夫佩虎符、坐皐比者，[8]洸洸乎干城之具也，[9]果能授孫吳[10]之略耶？峨大冠、拖長紳者，[11]昂昂乎廟堂之器也，果能建伊皐[12]之業耶？盜起而不知御，民困而不知救，吏奸而不知禁，法斁[13]而不知理，坐糜廩粟[14]而不知恥。觀其坐高堂，騎大馬，醉醇醲而飫肥鮮者，[15]孰不巍巍乎可畏，赫赫乎可象[16]也？又何往而不金玉其外，敗絮其中也哉？今子是之不察，而以察吾柑！"

予默然無以應。退而思其言，類東方生[17]滑稽之流。豈其憤世嫉邪者耶？而託於柑以諷耶？

## 注釋

1. 賈：同“價”。
2. 鬻：賣，這裏意為買。
3. 貿：買。
4. 籩豆：古代祭祀或宴會時用的禮器。籩，盛果品等物的竹器，形狀像木製的豆。豆，盛酒肉的祭器，形似高足盤，大多有蓋，多為陶質，也有用青銅、木、竹製成的。
5. 炫：誇耀。愚瞽：傻子和瞎子。
6. 業是有年：以此為業已有多年。
7. 不足子所：不能滿足您的需求。子，對對方的敬稱。
8. 虎符：虎形的兵符，古代軍官調兵遣將的憑信。皋比：虎皮，這裏指將帥的虎皮坐席。
9. 洸洸：威武的樣子。干城之具：衛國禦敵的將才。干，盾牌。干和城在古代戰爭中都是防禦的工具，因此比喻捍衛者。
10. 孫吳：指春秋戰國時著名的軍事家孫武和吳起。
11. 峨大冠、拖長紳者：指文官。峨，高聳。大冠，指高冠。紳，古代士大夫束在腰間的有裝飾作用的一種帶子。
12. 伊皋：指伊尹和皋陶。伊尹是商湯的大臣，曾輔佐湯攻滅夏桀。皋陶相傳是虞舜時掌管刑獄的大臣。兩人被後人視為賢臣的代表。
13. 斁：敗壞。
14. 坐縻廩粟：無所事事而白白消耗國家的糧食。縻：耗費。廩：糧倉。
15. 醇醲：味道純厚的甜酒。飫：飽食。
16. 象：效法。
17. 東方生：指東方朔（公元前154—公元前93），字曼倩，西漢時人，武帝時為太中大夫，性詼諧，常以滑稽的言辭諷諫皇帝。

## 串講

杭州有個賣水果的人，很會儲藏柑桔。他儲藏的柑桔，歷經嚴寒酷暑也不腐爛。那些柑子看上去色澤鮮亮，質地像玉石一樣圓潤，顏色像金子一樣黃澄澄的，放在市場上，比市價高出十倍，人們都爭相購買。我也買了一個，一剝開，就覺得有煙塵直撲口鼻，仔細一看，裏面竟然乾枯得如同破爛的棉絮一般！我質問賣主："你賣的水果，是讓人當供品或招待客人的，還是蒙騙傻瓜或盲人的？這樣太過分了，這是騙人！"賣主笑着說："我做這個生意有年頭了，就靠這個養活自己。我願意賣，別人願意買，從來沒人說什麼，怎麼惟獨就不能滿足你的需要呢？現在騙人的事情還少嗎？你怎麼不想想這個道理，如今那些佩戴虎符，坐在虎皮上的人，威風凜凜似乎是保衛國家的將才，他們果真懂得孫武、吳起的兵法韜略嗎？那些頭戴大帽子、拖着長腰帶的人，氣宇軒昂真像是朝廷的棟樑之材，他們果真能建立伊尹、皋陶的業績嗎？這些人，盜賊起來而不知道抵禦，百姓窮困而不知道解救，官吏弄權而不知道禁止，法度敗壞而不知道整頓，白白地耗費國家的糧食而不知羞恥。看看那些坐高堂、騎大馬、沉醉於美酒、飽吃山珍海味的人，誰不是威風凜凜、道貌岸然的樣子？誰不是顯赫高貴，一副可供效法的樣子？又誰不是金玉其外，敗絮其中呢？如今你不去考察這些狀況，而來考察我的柑子！"我聽後沉默着無言以對。後來尋思賣柑人的話，覺得他類似於東方朔一類的滑稽人物，難道他是憤世嫉俗，而借柑子來諷喻世事的嗎？

## 評析

本文作於元代末年。文章的主旨是譴責那些飽食終日、無所作為的官僚們。通過一個奇妙的比喻，諷刺徒有外表，而無真才實學的文臣武將，指出他們碌碌無為的本性，揭露他們欺世盜名的真象。此後，“金玉其外，敗絮其中”，成了人們經常用來指斥那些華而不實，有名無實的人的成語。文章的立意在於抨擊那些表面威風、腹內空空的達官顯貴，但指斥時弊，對官員說三道四弄不好就會危及自身。作者從買賣水果這種平凡小事入手，機智巧妙地抒發己見，提出了嚴肅的問題。文章先從作者所見來描寫腐敗的柑桔，經過長久保藏，內裏完全變質的柑桔外表卻是那麼光彩照人、晶瑩可愛。接着從水果小販的閒談揭露腐敗的官僚。先武將，再文臣，由表及裏地對比剖析。對他們品行的虛偽低劣，揭露得入木三分。本來，遏制橫行的盜賊、幫助無助的百姓、懲罰貪官污吏，整頓法制規章，這些都是官員們的本分，可他們卻身居其位，無所作為。至於那些王公貴族，外表無不極盡豪華時尚，然而骨子裏，無一不是百無一用，敗絮其中。柑桔與人原本毫不相干，經過作者獨具匠心的構思，由柑及人，比喻新穎而又巧妙，借金玉其外、敗絮其內的柑桔來指斥腐敗無能的官僚。金玉與敗絮的強烈反差給人以震撼，發人深思。文中多用問句，加重了詰問的語氣和揭露的份量。外表的優與內裏的劣，名實如此不符，這種欺騙行徑若僅在賣柑桔者，不過使購買的人上當，損失些許錢財；而若在統治者中普遍存在，那將會對世人、對社會、對國家產生怎樣的嚴重後果？作者用調侃的筆調把這個嚴肅的問題提出來，讓人深長思之。

# 書博雞者事

高啟

博雞者，袁[1]人。素無賴[2]，不事產業，日抱雞呼少年博市中。任氣好鬥，諸為里俠者皆下之[3]。

元至正[4]間，袁有守多惠政，民甚愛之。部使者臧新貴[5]，將按郡[6]至袁。守自負年德，易之[7]。聞其至，笑曰："臧氏之子也"。或以告臧，臧怒，欲中守法[8]，會袁有豪民，嘗受守杖，知使者意嗛[9]守，即誣守納己賕[10]。使者遂逮守，脅服，奪其官。袁人大憤，然未有以報也。

一日，博雞者遨於市，眾知有為，因讓之曰："若素名勇，徒能藉[11]貧孱者耳。彼豪民恃其貲，誣去賢使君，袁人失父母。若誠丈夫，不能為使君一奮臂邪？"博雞者曰："諾。"即入閭左[12]，呼子弟素健者，得數十人，遮豪民於道。豪民方華衣乘馬，從群奴而馳，博雞者直前捽[13]下，提毆之。奴驚，各亡去。乃褫豪民衣自衣，[14]復自策其馬，麾眾[15]擁豪民馬前，反接，徇諸市[16]，使自呼曰："為民誣太守者視此！"一步一呼，不呼則杖其背，盡創。豪民子聞難，鳩[17]宗族僮僕百許人，欲要篡[18]以歸。博雞者逆謂曰："若欲死而父，即前鬥，否則闔門善俟。[19]吾行市畢，即歸若父，無恙也。"豪民子懼遂杖殺其父，不敢動，稍斂眾以去，袁人相聚以觀，歡動一城。郡錄事駭之，馳白府，府佐快其所為，陰縱之不問。日暮，至豪民第門，捽使跪，數之曰：“若為民，不自謹，冒使君，杖汝，法也。敢用是為怨望，又投間蔑污使君使罷，[20]汝罪宜死。今姑貸汝[21]，後不善自改，且復妄言，我當焚汝廬，戕汝家矣。”豪民氣盡，以額叩地，謝不敢，乃釋之。

博雞者因告眾曰：“是足以報使君未邪？”眾曰：“若所為誠快，然使君冤未白，猶無益也。”博雞者曰：“然。”即連楮[22]為巨幅，廣二丈，大書一“屈”字，以兩竿夾揭之，走訴行御史台。台臣弗為理，乃與其徒日張“屈”字遊金陵[23]市中。台臣慚，追受其牒[24]，為復守官，而黜臧使者。方是時，博雞者以義聞東南。

高子曰：“余在史館，聞翰林天台陶先生言博雞者之事。觀袁守雖得民，然自喜輕上，其禍非外至也。臧使者枉用三尺[25]，以仇一言之憾，周賊蠹[26]之士哉，第為上者不能察[27]，使匹夫攘袂[28]，群起以伸其憤[29]，識者固之元政紊弛[30]，而變興自下之漸[31]矣。

## 注釋

1. 袁：袁州，州治在今江西省宜春縣。

2. 素無賴：平日遊手好閒。

3. 里俠者皆下之：當地的俠義者都比不過他。

4. 至正：元惠帝年號（1341－1368）。

5. 臧新貴：姓臧的新近得勢為官的人。

6. 按郡：巡察州郡。

7. 易之：輕視他。

8. 欲中守法：想給太守編排罪名，治之於法。

9. 嗛：懷恨。

10. 賕：賄賂。

11. 藉：欺辱。

12. 閭左：古代尊右輕左，二十五家為閭，閭左指貧民聚居處。

13. 捽：揪。

14. 褫：剝奪。自衣，自己穿上。

15. 麾眾：指揮眾人。

16. 徇諸市：此處指押着豪民遊街。

17. 鳩：糾集。

18. 要篡：攔截。

19. "若欲"三句：如果想讓你父親死，你就上前來和我們爭鬥，否則就關着門在家裏好好地等候。

20. 投間：乘機。使罷，使他被罷官。

21. 貸汝：饒恕你。

22. 楮：紙。楮樹纖維可以造紙，故以楮代以紙。

23. 金陵：今南京市。

24. 牒：公文。

25. 三尺：原意是劍，此處指職權。

26. 賊鷙：陰險狠毒。

27. 第為上者不能察：身為上級不能覺察。

28. 攘袂：捋起袖子，表示激憤。

29. 伸其憤：發泄怨憤。

30. 元政紊弛：元朝統治混亂鬆弛。

31. 漸：逐漸發生。

## 串講

有個袁州人，以鬥雞賭輸贏。平日遊手好閒，不從事生產經營勞動，整天抱着雞吆喝青少年在街巷裏鬥雞。他意氣用事，爭強好鬥，當地一些行俠仗義的人都很佩服他。

元朝至正年間，袁州太守善於管理，老百姓很愛戴他。有個新近得勢的臧姓權貴來袁州巡察。太守自視資歷老，看不起那個新貴。聽說臧要來，笑着說，臧家的小子要來。有人告訴了臧，臧很生氣，想找太守麻煩。正好當地有個土豪曾經被太守施杖刑，得知臧怨恨太守，便誣告太守接受過自己的賄賂。使者於是逮捕了太守。威逼他認罪，罷免了他的官職。袁州的百姓很憤怒，可是又沒有對付的辦法。

一天，博雞者在街上閒逛，大家知道他敢作敢為，於是責備說，你一向以勇敢出名，難道只欺負貧窮弱小的人？如今那土豪財大氣粗，誣陷罷免了太守，袁州人失去了父母官。你若真是大丈夫，能不為太守出力嗎？博雞者說："行！"就來到平民聚居處。招呼了幾十名身強力壯的年青人，攔住土豪的路，那土豪當時身穿華麗的衣服，正由家奴們簇擁着騎馬經過。博雞者直接上前，將土豪揪下來一頓暴打。家奴們嚇得四散逃命。博雞者剝下土豪的衣服穿在自己身上，又趕着土豪的馬，押着土豪遊街示眾。讓土豪自己喊："誣陷太守就是這種下場。"一步一喊，不喊就打，把他的背都打爛了。土豪的兒子聽說出了事，糾集了親友和家奴一百多人，前來解救。博雞者迎上前說，你想要你父親死就過來對打，否則回家關門呆着。我們遊街完後就送回你父親，保證沒事。土豪的兒子怕父親被人打死，不敢動手，帶着人回去了。老百姓聚集圍觀，全城歡騰。當地的官員嚇得趕快報告府衙，府佐對博雞者的作為暗中稱快，不過問。晚上，遊街的人群來到土豪家門前，博雞者歷數土豪的罪狀，說你要是不改過，就燒了你的房子，殺了你全家。土豪磕頭表示再也不敢了。

博雞者對眾人說，我這樣足以報答太守？大家說，這樣確實很痛快，但太守的冤枉還是沒有申雪啊。於是博雞者又做了一個兩丈寬的條幅，上面寫了很大的“屈”字，用竹竿舉起到官府請願，最後官府只得接了他們的狀子，恢復了太守的官職，罷免了臧姓使者。當時博雞者以義勇名震東南一帶。

依我看來，袁州太守雖然得人心，但自以為是，怠慢上司，其禍事不是外來的。而臧使者濫用職權，以報一言之仇，真是個狹隘、兇殘的人。上司不能明察，使得老百姓聚集鬧事，以發泄憤怒。有識見的人能夠看出元朝的政治混亂，事變由下面漸漸興起，頹敗之勢逐漸形成。

## 評析

高啟（1336－1374）字季迪，號槎軒，又號青丘子，平江長洲（今江蘇蘇州）人。博學工詩，也擅長史學。明洪武二年應召修《元史》，後升任戶部右侍郎，自稱不敢當重任而辭官。後因文章犯朱元璋忌，朱元璋借故將他處死。著有《高太史大全集》。

本篇寫城市民變，牽頭發動民變的是一位博雞者，即是從事鬥雞賭博的人，事件發生在江西袁州。這次鬧市，起因是為袁州知府被誣諂而去職這件事打抱不平。作品中寫博雞者招集的“子弟”，只有數十人，卻鬧得轟轟烈烈，大滅與官僚勾結的豪民的威風。還從袁州鬧到了金陵，天天在市中遊行叫屈，終於迫使行御台的長官出面處理，讓袁州知府復官。作品中的“博雞者”無姓名，不是什麼英雄人物，作者說他“素無賴”，即使在鬧市過程中，他也表現出使對手喪膽的無賴和潑皮行為。看來作品正是抓住了這一人物的性格特徵，從而把他寫得栩栩如生。

# 里社祈晴文

方孝儒

民之窮亦甚矣！樹藝[1]畜牧之所得，將以厚其家，而吏實奪之。既奪於吏，不敢怨怒，而庶幾[2]償前之失者，望今歲之有秋[3]也，而神復罰之。嘉穀垂熟[4]，被乎原隰[5]，淫雨[6]暴風，旬月繼作，盡撲而捋[7]之。今雖已無可奈，然遺粒委穗不當風水沖者，猶有百十之可冀，神曷不亟訴於帝而遏之？[8]吏貪而昏冥[9]，視民之窮而不恤[10]。民以其不足罪，固莫之罪也。神聰明而仁閔[11]，何乃效吏之為而不思拯且活之？民雖愚蠢，不能媚順於神，然春秋報謝以答神貺[12]者，苟歲之豐，未嘗敢怠；使其糜所得食，則神亦有不利焉。夫胡為而不察之？民之命懸於神，非若吏之暫而居，忽而代者之不相屬[13]也。隱而不言，民則有罪；知而不恤，其可與否，神尚決之！敢告。

## 注釋

1. 樹藝：種植果木蔬菜。
2. 庶幾：差不多。
3. 秋：指豐收，收成好。
4. 垂熟：接近成熟。
5. 原隰：廣平低濕的田地。隰，低下的濕地。
6. 淫雨：連續不斷的雨。淫，過多，過甚。

7. 捋：本意是用手指弄順某物，此處指暴風雨打掉了穀穗。

8. 曷：何，為什麼。亟：趕快。遏：阻止，制止。

9. 昏冥：糊塗。

10. 恤：憐恤。

11. 閔：同“憫”。

12. 神貺：神的賞賜。

13. 屬：連續。

## 串講

百姓的窮困已經很嚴重了！他們種植果木蔬菜、飼養禽獸的收益，是用來養家餬口的，而官吏們總是奪走了。勞動果實已經被官吏們奪走，他們不敢埋怨發怒，而也許可以補償這種損失的，是指望今年秋天糧食能夠豐收，但是神又懲罰他們。稻穀已經快要成熟，遍佈在廣闊低濕的田地裏，接連不斷疾風暴雨，持續了一個月，把稻穀撲打殆盡。今天雖然已經無可奈何，但是遺留下來沒有被風颳掉、被水沖走的穀穗，還有百分之十可以指望，神為什麼不趕快告訴天帝阻止風雨？官吏貪心、昏聵而肆意橫行，看着百姓窮困而不憐憫，因為老百姓沒有什麼錯，所以不能怪罪他們。神耳聰目明而且仁慈有同情心，怎麼會效法官吏們的所作所為，不想着拯救老百姓使他們活下去？百姓雖然愚蠢，不能取悅順服神，但是每年春秋報答神的賞賜，只要收成還好，從來不敢怠慢；如果使百姓沒有飯吃，實際上對神也不利。神為什麼不考察這些情況？百姓的性命是繫在神手裏的，不像官吏做官是暫時的，經常互相接替並不連續。如果把這些情況隱瞞着不說出來，百姓就有罪了；然而知道了這些情況而不憐憫，這可以嗎？希望神作出決斷！我大膽地向神稟報。

## 評析

方孝儒(1357—1402)字希直，一字希古，書室名曰“正學”，人稱正學先生，台州寧海(今浙江寧海)人。少有文才，十九歲拜宋濂為師。洪武年間任將仕郎、漢中府教授等職。建文帝即位後，任翰林侍講學士。燕王朱棣攻入南京，他拒不起草即位昭書，並斥責朱棣篡弒之罪，因而被殺，除滅九族外，還牽連到他的學生，被滅十族，死者870餘人。他是明初著名的散文家，散文風格縱橫豪放，長於議論。

本文是一篇祝文。祈求風調雨順，讓農民能有一個好收成，古往今來，世世代代人們都這麼企盼着，祈禱着。這種儀式可以說是年年有，處處有。本文的獨特之處在於，代那些無助的農民立言，祈求神明保佑，同時，也指斥了官吏們掠奪百姓的惡劣行徑。作者對農民的貧苦有相當的瞭解，對他們的處境寄寓了深切同情，農民一年的生計都寄託在莊稼的收成上，遇到天災他們無奈地承受，官吏的淫威他們也不敢反抗，總是忍氣吞聲，逆來順受。作者站在這個弱勢群體的立場，向神明、也向社會發出正義的呼喊。雖然是一篇祈禱文章，但其中並沒有太多的央告與哀求，完全是理直氣壯的指斥與呼籲。官吏無休止的掠奪，使農民所剩無幾，如果天公再不作美，無疑是雪上加霜。把農民逼得一點活路都沒有，對誰都沒有好處。看似在責問天公，埋怨天災，實是在質問官吏，痛恨人禍：農民有什麼罪？要遣狂風暴雨奪去他們的收成，用這樣殘酷的方式怪罪他們？官吏們經常調換，不會長久呆在這裏，而農民卻祖祖輩輩難離故土，靠天吃飯。如果神明降下天災，懲罰的不是那些貪官污吏，倒霉的只是貧民百姓。文章擺事實，講道理，把百姓窮苦的原因分析得入情入理。神既然是明智而仁慈的，那就應該作出正確的決斷。

# 寒花[1]葬志

歸有光

婢，魏孺人[2]媵[3]也。嘉靖丁酉[4]五月四日死，葬虛邱。事我而不卒，命也夫！婢初媵時，年十歲，垂雙鬟，曳深綠布裳。一日天寒，爇[5]火煮荸薺熟，婢削之盈甌[6]。予入自外，取食之，婢持去，不與，魏孺人笑之。孺人每令婢倚几旁飯，即飯，目眶冉冉[7]動。孺人又指予以為笑。回思是時，奄忽已十年。吁，可悲也已。

## 注釋

1. 寒花：婢女的名字。
2. 魏孺人：作者的妻子。明代七品以下職官的妻子封孺人。
3. 媵：隨嫁的婢女。
4. 嘉靖丁酉：嘉靖十六年（公元 1537 年）。
5. 爇：燒。
6. 甌：小盆。
7. 冉冉：慢慢地。

## 串講

寒花是魏孺人隨嫁的婢女。嘉靖丁酉年五月四日死，葬在小山上。服侍我而不到頭，這是命啊！寒花剛來時，只有十歲，梳着兩個環形的髮髻，拖着長長的深綠布裙。一天，天很冷，寒花燒着火煮熟了荸薺，削了滿滿的一小盆。我從外面進來，拿了吃，寒花端走了荸薺，不給我，魏孺人見了直笑。魏孺人每每讓婢女倚在小桌旁吃飯，吃飯時，她眼睛慢慢轉動，魏孺人又指給我看笑起來。回想那時，轉眼已經過去十年，唉，令人悲痛啊！

## 評析

歸有光（1506—1571）字熙甫，號震川，蘇州昆山（今江蘇昆山）人。嘉靖十九年（1540）鄉試中舉，之後在嘉定安亭（今上海市嘉定縣西南）讀書講學20多年，名聲很大，學生達數百人。嘉靖四十四年（1565），他年已花甲，始中進士。曾任長興知縣、順德府通判等職。隆慶四年（1570）升任南京太僕寺丞，朝廷留他在北京內閣制敕房參與撰寫《世宗實錄》，次年卒於北京任上。他的散文創作成就較高，獨具風韻。尤其是抒情散文，看似簡淡，卻感人至深。

歸有光像

本文寄託了作者對過早夭折的女僕的一片懷念之情。通過生活中的細節描寫，把女孩天真淳樸和浪漫活潑表現出來。生活中的故事很多，作者選擇最為傳神的細節，如表現主僕之間融洽關係的場景和女孩天真無邪的眼神，便收到事半功倍的效果。削了滿滿一盆荸薺，說明女孩小小年紀便很勤勞能幹；見主人進門，開玩笑地將荸薺端走，又恰到好處地表現了主僕間無拘無束的關係和家庭裏和睦的氣氛；吃飯時不時地轉動眼珠，是小女孩的習慣動作，通過這一神態的描寫，顯出小女孩稚氣未脫。十年前的生活瑣事仍然歷歷在目，足見這個女孩給作者的印象之深。也使讀了此文的人禁不住惋惜她的過早離去。

# 項脊軒志

歸有光

項脊軒，舊南閣子也。室僅方丈[1]，可容一人居。百年老屋，塵泥滲漉[2]，雨澤下注；每移案，顧視無可置者。又北向，不能得日，日過午已昏。余稍為修葺，使不上漏；前闢四窗，垣牆周庭[3]，以當南日；日影反照，室始洞然。又雜植蘭桂竹木於庭，舊時欄楯[4]，亦遂增勝。積書滿架，偃[5]仰嘯歌，冥然兀坐[6]，萬籟有聲。而庭階寂寂，小鳥時來啄食，人至不去。三五之夜，明月半牆，桂影斑駁，風移影動，珊珊可愛。

然余居於此，多可喜，亦多可悲。先是，庭中通南北為一；迨諸父異爨，[7]內外多置小門牆，往往而是[8]。東犬西吠，客逾庖而宴[9]，雞棲於廳。庭中始為籬，已為牆，凡再變矣。家有老嫗，嘗居於此。嫗，先大母[10]婢也，乳二世[11]，先妣[12]撫之甚厚。室西連於中閨，先妣嘗一至。嫗每謂余曰："某所，而母立於茲。"嫗又曰："汝姊在吾懷，呱呱而泣。娘以指叩門扉曰：'兒寒乎？欲食乎？'吾從板外相為應答。"語未畢，余泣，嫗亦泣。余自束髮[13]，讀書軒中。一日，大母過余曰："吾兒，久不見若影，何竟日默默在此，大類女郎[14]也？"比去，以手闔門，自語曰："吾家讀書久不效[15]，兒之成，則可待乎！”頃之，持一象笏[16]至，曰：“此吾祖太常公[17]宣德間執此以朝，他日，汝當用之！”瞻顧遺跡，如在昨日，令人長號不自禁。

軒東，故嘗為廚，人往，從軒前過。余扃牖[18]而居，久之，能以足音辨人。軒凡四遭火，得不焚，殆有神護者。

項脊生曰：“蜀清守丹穴，[19]利甲天下，其後秦始皇築女懷清台[20]。劉玄德與曹操爭天下，諸葛孔明起隴中。方二人之昧昧於一隅也，[21]世何足以知之？余區區處敗屋中，方揚眉瞬目，謂有奇景；人知之者，其謂與坎井之蛙何異？”

余既為此志，後五年，吾妻來歸[22]。時至軒中，從余問古事，或憑几學書。吾妻歸寧[23]，述諸小妹語曰：“聞姊家有閣子，且何謂閣子也？”其後六年，吾妻死，室壞不修。其後二年，余久臥病無聊，乃使人復葺南閣子，其制稍異於前。然自後余多在外，不常居。

庭有枇杷樹，吾妻死之年所手植也，今已亭亭如蓋矣。

## 注釋

1. 方丈：一平方丈。
2. 滲漉：滲漏。
3. 垣牆周庭：在庭院四周建築圍牆。周，圍繞。

4. 欄楯：欄杆。楯，欄杆的橫木。

5. 偃：仰臥。

6. 冥然兀坐：默默地端坐。

7. 迨：等到。諸父：叔父、伯父們。異爨：各用各的爐灶，即分家。

8. 往往而是：處處如此，意謂隨處都是小門牆。

9. 客逾庖而宴：客人不得不穿過廚房去赴宴。庖：廚房。

10. 先大母：去世了的祖母。大母，祖母。

11. 乳二世：哺育了兩代人。指作者的父親一代和作者本人一代。

12. 先妣：去世了的母親。

13. 束髮：束髮為髻，指兒童到了入學年齡。

14. 大類女郎：很像女孩子。大類，很像。

15. 吾家讀書久不效：我們家的人讀書許久沒有好的效果。作者的祖父和父親都沒有做過官，故有此言。

16. 象笏：象牙製朝笏。朝笏是古代官員上朝時所持的長方形板，有記事備忘等作用。

17. 太常公：指夏昶，字仲昭，明代永樂年間進士，宣德年間官至太常寺卿。他是歸有光祖母的祖父。

18. 扃：關。牖：窗戶。

19. 蜀清：指《史記》所載秦時巴蜀（今四川）一個名叫清的女子。丹穴：出產朱砂的礦穴。

20. 女懷清台：在今四川省長壽縣南。

21. "方二人"句：當後來名聲很大的蜀清和諸葛亮默默無聞居於一隅時。

22. 來歸：嫁到我家。

23. 歸寧：出嫁的女子回娘家看望父母。

## 串講

項脊軒，是個破舊的南屋，室內僅一丈見方，可以容納一個人居住。上百年的老房子了，落滿灰塵，下雨漏水。想移動一下桌子都沒有地方。又因為朝北，曬不到太陽，過了中午，屋子裏就一片昏暗。我稍微修整一下，讓它不再漏雨。前面開了四扇窗戶，院子周圍築起圍牆，可反射日光，屋子裏顯得亮堂多了。院中種植一些花草樹木，舊貌變新顏。在那裏或讀書、或唱歌、或呆坐，傾聽着大自然的各種聲響。門前常常有小鳥來啄食，有人來了也不飛走。十五的晚上，月光將桂花的影子灑滿半個牆壁，隨風搖曳，非常可愛。

然而住在這裏，有許多快樂，也有許多煩惱和憂傷。院子原來很寬敞，因為父親和叔伯分家，到處被門和牆分割，雞鳴狗叫，擁擠雜亂不堪。院裏住着一個老太太，是我祖母的傭人，曾經哺乳過父輩和我兩代人。她經常回憶起我去世的母親生前的一些事，引動我和她一起流淚。我從上學的年齡就在軒中讀書。一天，祖母經過，對我說，你整天默默呆在屋裏，像個女孩。她又自言自語道，我家的人讀書多年沒什麼成就了，此小兒有希望。祖母拿來她祖父當年上朝用過的象牙笏對我說，將來你應該能用上它。看着遺物，感慨不已。

軒的東側是廚房，人來人往都從我門前過，時間長了，聽腳步聲就知道是誰。此軒曾經四次遭火災，沒有被燒毀，大概是有神靈保佑。

過去諸葛亮等名人在幹出轟轟烈烈的大事業之前，默默無聞地居住在偏遠的地方，無人知曉。如今我住在這樣的破屋子裏，感覺良好。有人會說，這和井底之蛙有何區別。

我於是寫了這篇志。過了五年，我妻子嫁到我家，常常到軒中和我一起讀書，有時憑案學書法。又過了六年，我妻子去世，房子破舊也沒有再修。二年後，我因病賦閒在家，請人修了這房子，與從前的格局稍微有所不同。那以後我常年在外，不經常住在那裏了。

院子裏有棵枇杷樹，是妻子去世那年種的，如今已枝繁葉茂。

## 評析

作者的先祖歸道隆曾在太倉的項脊涇居住，所以作者以"項脊"為自己的書齋命名。本文很能體現歸有光散文的特色，被認為是他散文的代表作。文中圍繞"百年老屋"的數度變遷，憶及許多往事和許多已故的親人。回憶的時間跨度很長，有寫景，有敘事，有議論，有抒情，看似隨手寫來，信馬由韁，但顯然都經過精心的選擇和巧妙的安排。選擇的標準很明顯，就是真情，是感動和滋養了作者又極易打動他人的無私而平凡的親情。祖母的慈愛，母親的關愛，妻子的情愛，晚輩的天真無邪，寫來可感可歎。作者對親人的思念和物是人非的感慨，都寄寓在對每一個人和每一件事的記敘中。這樣的抒情散文，受到後來許多人的讚賞。黃宗羲在《張節母葉孺人墓誌銘》中說："予讀震川文之為女婦者，一往深情，每以一二細事見之，使人欲涕。蓋古今來事無巨細，惟此可歌可泣之精神，長留天壤。"

# 與兩畫史[1]

徐渭

奇峰絕壁，大水懸流，怪石蒼松，幽人羽客[2]，大抵以墨汁淋漓，煙嵐[3]滿紙，曠如無天，密如無地為上[4]。百叢媚萼[5]，一幹枯枝，墨[6]則雨潤，彩[7]則露鮮，飛鳴棲息，動靜如生，悅性弄情，工[8]而入逸[9]，斯為妙品。

## 注釋

1. 畫史：對畫家的一種稱謂，猶言畫師。
2. 幽人：隱士。羽客，對道士的一種稱呼。
3. 嵐：山中霧氣。此處煙嵐指煙霧迷蒙的效果。
4. 上：第一等的，極好的。
5. 媚萼：美麗的花朵。媚，美好可愛。萼，花托。
6. 墨：此處用做動詞，使用墨來做畫。
7. 彩：此處也是做動詞，用彩色。
8. 工：精巧細緻。
9. 逸：飄逸瀟灑。

## 串講

險峻陡峭的山峰，飛流直下的瀑布，怪石嶙峋，蒼松聳立。那些隱者和道士，大多以這種墨汁淋漓，滿紙霧氣，空曠而看不出天空，或是山林密布而看不到大地的作品為上品。其實，無論是花團錦簇，或是一根枯枝；用墨則有如雨露滋潤，用色彩就顯出它的鮮艷明亮，飛鳥棲息在樹上，無論動靜都栩栩如生，能讓人賞心悅目，陶冶性情，工整精細而又飄逸傳神，那才是真正的佳作。

## 評析

本篇發表關於繪畫藝術的見解。徐渭是明代卓有成就的畫家。以作者之見，大自然中的一切都是美好的。無論是一枝枯枝，還是萬紫千紅，無論是飛鳥，還是棲息的鳥，無論平淡與鮮艷，動與靜，關鍵是畫出其神韻；畫家的技法當然要求高妙，但也未必有一定之規，用墨則"雨潤"，用色彩則"露鮮"，關鍵是表現出自然的生機，便可稱為妙品。不一定非要怪石蒼松，奇峰絕壁，曠如無天，密如無地。徐渭認為，畫的功用就是賞心悅目，即所謂"悅性弄情"；畫的妙品應是"工而入逸"，也即既表現自然的形態，又傳達其神韻。這一見解頗為精到。

雜花圖卷　（明・徐渭繪）

# 答湖廣巡撫朱謹吾辭[1]建亭書

張居正

承示欲為不穀[2]作三詔[3]亭，以彰天眷[4]，垂[5]永久，意甚厚。但數年以來，建坊營作，損上儲[6]，勞鄉民，日夜念之，寢食弗寧。今幸諸務已就，庶幾疲民少得休息；乃無端又興此大役，是重困鄉人，益吾不德[7]也。且古之所稱不朽者三，若夫恩寵之隆，閥閱之盛[8]，乃流俗之所豔[9]，非不朽之大業也。

吾平生學在師[10]心，不蘄[11]人知。不但一時之毀譽，不關於慮；即萬世之是非，亦所弗計也，況欲侈恩席寵[12]以誇耀流俗乎。張文忠[13]近時所稱賢相，然其聲[14]施於後世者，亦不因三詔亭而後顯也。不穀雖不德，然其自計，似不在文忠之列。使後世誠有知我者，則所為不朽，固自有在，豈藉建亭而後傳乎？露台百金之費，中人[15]十家之產，漢帝猶且惜之，況千金百家之產乎！當此歲[16]飢民貧之時，計一金可活一人，千金當活千人矣！何為舉百家之產，千人之命，棄之道旁，為官吏往來遊憩之所乎？

且盛衰榮瘁[17]，理之常也。時異勢殊，陵谷遷變[18]，高台傾，曲池平，雖吾宅第，且不能守，何有於亭？數十年後，此不過十里鋪前一接官亭耳，烏睹所謂三詔者乎？此舉比之建坊表宅，尤為無益；已寄書敬修[19]兒達意[20]官府，即檄[21]已行，工作已興，亦必罷之。萬望俯諒！

## 注釋

1. 辭：拒絕，推辭。
2. 不穀：謙詞，指張居正自己。
3. 詔：教誨，告誡。這裏是祈禱告知神靈的意思。
4. 以彰天眷：來表現皇帝的恩寵。彰，指表現，彰顯。眷，恩寵。
5. 垂：流傳。
6. 上儲：國庫的儲備。
7. 益吾不德：增加我的錯誤。益，增加。
8. 閥閱之盛；顯赫的門第。
9. 艷：羡慕，喜愛。
10. 師：學習，聽從。
11. 蘄：求得。
12. 侈恩席寵：憑藉過分的恩寵。侈，放縱。席，依仗，憑着。
13. 張文忠：名張孚敬，字秉用，謚號文忠。明朝人，曾官至華蓋殿大學士。
14. 聲：名聲，聲望。
15. 中人：中等的人家。
16. 歲：年景，收成。
17. 瘁：本意指人面色黃瘦，這裏指破敗。
18. 陵谷遷變：滄海桑田的變化。陵，大的土山。谷，山中的水道或夾道。
19. 敬修：張居正的兒子。
20. 達意：告知。
21. 檄：官府正式的文書。此處指關於建亭的公告。

## 串講

聽說要為我修建三詔亭，來彰顯皇帝的恩寵，使其流傳永久，真是情誼深厚。不過這幾年興建了許多的工程，消耗了國家的資源，耗費了鄉民的勞力，我每每想到這些，都寢食難安。現在所幸各種工程都完工了，讓那些勞累的民眾可以休息，卻無端又要為我修建三詔亭，這是勞民傷財，讓鄉民再次蒙難，增加我的罪過啊。況且，古往今來所說不朽的事物有三種，諸如皇帝恩寵有加，或是門第顯赫，是為世俗一般人所羡慕的，但這並非不朽的大業。

我生平所學，重在聽從內心的教誨，而不求別人知道。不僅一時的毀譽我不放在心上，就是萬世的是非，我也不會計較，還會顯示皇帝的恩寵來誇耀嗎？張文忠是近時被稱為賢相的人，然而他的聲名流傳後世，也不是因為有三詔亭。我雖然沒什麼德能，但自認為還不在張文忠之列。如果後世真有人理解我，就算不朽了，怎麼能指望這樣一座亭子來讓人不朽呢？建露台花費百金，等於中等人家十家的財產，漢朝皇帝尚且不捨得建造，何況這亭子要花費千金，等於上百家的產業呢。像現在這樣年成不好，人們飢餓貧困的時節，如果一兩黃金能夠讓一個人活命，千金可救一千條人命啊。為什麼要把一百家的財產，或是一千人的性命扔到路旁，建造官員來往休息的亭子呢？

盛衰榮辱，是世間的常理。時過境遷，滄海桑田，高台會坍塌，池塘會乾涸。即使是我家的宅第，我都不能保住，何況一座小小的亭子呢？幾十年以後，這不過是路旁的一個供人休息的亭子，誰會想到什麼三詔的事呢？建造亭子比建造牌坊或者住宅還要沒用，我已經寫信給我的兒子敬修，讓他把我的意思轉告官府，即使亭子已經動工，也一定要停工。希望您一定諒解！

## 評析

這是張居正寫給湖廣巡撫朱謹吾的一封信。張居正是萬曆初年的名相。信的中心意思是反對為自己建三詔亭。信裏從多個角度闡述了建亭的不必要。他一再強調，建造紀念亭，既耗費國家資財，又耗費民工民力，在國民不富裕的時候，更不能有這樣的工程。而且，這種亭子毫無用處，後人不會因為紀念碑亭而記住他。如果後世還有人知道他，那一定是因為他的作為和人品。信中還說到，在他身後，自己的宅第都不一定能保住，別說一個亭子了。張居正在權傾一時、名重天下時，能有如此清醒的頭腦和堅定的意志，可見他是個非凡的人。更可貴的是他態度堅決，說一不二，即使亭子已經開工，也要堅決停工，絕對不搞下不為例，這樣才能讓那些善於揣摩上司意圖的官僚徹底死心、徹底罷手。信中言辭懇切，言簡意深，表現出一代名臣的高風亮節。

# 與賀藩伯澹庵書

張居正

別楮[1]一一領悉。夫[2]人才難知。知人固未易也。不穀平日無他長，惟不以毀譽為用舍[3]。其所拔識，或出於杯酒談笑；或望其豐[4]神意態；或平日未識一面，徒[5]察其行事而得之；皆虛心獨鑒[6]，匪[7]借人言。故有已躋通顯而其人終身不知者。如公所言，咸冀[8]援於眾力，借譽於先容[9]，若而人者，焉足以得國士[10]？而士亦孰肯為之用哉？辱示，略陳所以，自是誠宜忘言矣。

## 注釋

1. 楮：紙的代稱，這裏指來信。
2. 夫：語氣詞，放在句首，引出議論的句子。
3. 用舍：重用和捨棄（的標準）。
4. 豐：風度。
5. 徒：僅僅，只是。
6. 鑒：考察，分辨。
7. 匪：不是。
8. 冀：希望。
9. 先容：事先的介紹，引薦。容，修飾面容，化妝打扮。
10. 國士：國家中最有才能的人。指最優秀的人才。

## 串講

來信我都收到了。人才的確難以識別。瞭解人本來就不是一件容易的事。我一生別無他長，惟能不以別人的評價作為取捨人才的標準。我所選拔任用的人才，有的是平時飲酒談笑時有所瞭解，有的是從其風度神采斷定了他的為人。還有的平日並不相識，只是通過其處世行事而瞭解的。我挑選人才的共同點是不抱成見，不聽別人的評論，全憑自己的觀察判斷。所以有些人已經躋身高官顯貴，卻終生不知道是我提拔了他們。如同您所說，全憑別人的一面之詞，自己不親自鑒別就提拔官員，怎麼能夠得到一流的人才？而真正的人才又怎麼會願意在他們手下出力呢？

## 評析

這封書信以作者親身經歷為例，談論人才選拔問題，頗有見地。人才之難得，絕不僅僅因為人才少或難於發現，而是有太多的因素在干擾對人才的鑒別。先入為主的成見，別人的看法和議論等等，都可能成為選拔的依據，使判斷失去客觀性。最有效的方法，是在日常工作與生活中仔細觀察其品行和能力。關鍵要不徇私情，舉薦人才完全是為國為民，不求其知恩圖報。這一點更難做到。如果在這個問題上把握不好，真正的人才不可能脫穎而出，奸滑小人倒會乘機而入。甚至會出現跑官要官，買官賣官的不法現象。可見，選拔者自身的立場和品質至關重要，如果出發點是結黨營私，那麼選拔人才就無從談起。

# 讚劉諧

李贄

有一道學，高屐大履，[1]長袖闊帶，綱常[2]之冠，人倫[3]之衣，拾紙墨[4]之一二，竊唇吻[5]之三四，自謂真仲尼[6]之徒焉。時遇劉諧。劉諧者，聰明士，見而哂曰："是未知我仲尼兄也。"其人勃然作色而起曰："天不生仲尼，萬古如長夜。子何人者，敢呼仲尼而兄之？"[7]劉諧曰："怪得羲皇[8]以上聖人盡日燃紙燭而行也！"其人默然自止。然安知其言之至哉！李生[9]聞而善，曰："斯言也，簡而當，約而有餘，可以破疑網而昭中天[10]矣。其言如此，其人可知也。蓋雖出於一時調笑之語，然其至者，百世不能易。"

## 注釋

1. 屐：木底有齒的鞋。履：鞋。
2. 綱常：即三綱五常。三綱指父為子綱。君為臣綱，夫為妻綱。五常指仁、義、禮、智、信。
3. 人倫：指封建禮教所規定的人在社會、家庭中的地位、人與人之間的關係。君臣、父子、兄弟、夫妻、朋友叫做五倫。
4. 紙墨：此處指儒家著作。
5. 唇吻：指常被引用的儒家語錄。
6. 仲尼：即孔丘，字仲尼。
7. "天不生仲尼"兩句，出自宋代強行父的《唐子西文錄》，朱熹《朱子語類》卷九十三引用。

8. 羲皇：伏羲，古帝名。

9. 李生：作者自稱。

10. 昭中天：使天空明朗，此處比喻使心中明朗。

## 串講

有一位道學家，腳蹬高底大鞋，身穿長衣袖、寬腰帶的衣服，頭戴綱常的帽子，身披“人倫”的外衣，揀了幾篇孔孟的文章著作，偷了幾句儒家的經典語錄，自認為真正是孔子的學生。一次，遇到劉諧，劉諧是一位聰明的讀書人，見了這位道學家笑着說：“這是不瞭解我的仲尼兄。”那個人臉色一變，勃然大怒，站起來說：“如果上天不降生孔子，千年萬載都像在長夜之中，你是什麼人，竟敢直呼仲尼的名字而且稱兄道弟！”劉諧說：“難怪伏羲帝以前的聖人整天點着燈籠走路呢！”那人不再說什麼。然而他哪裏知道這句話的深刻之處呢！我聽說後十分讚賞這句話，說：“這句話簡明而得當，概括恰當而耐人尋味，可以解開疑惑而使心中明朗。他的言論如此，這個人的學養可以推而知之了。雖然是一時開玩笑的話，然而它的切中要害是千秋萬代也改變不了的。”

## 評析

李贄（1527—1602）字卓吾，又字宏甫，號溫陵居士，又號龍湖叟，晉江（今福建晉江）人。少舉孝廉，嘉靖三十四年（1555）授輝縣教諭，後歷任禮部司務、南京刑部員外郎中。萬曆五年（1577）任姚安知府，三年後罷官。客居黃安，不久又移居麻城龍湖，著書講學。因為他在著書授課中反對道學，批判封建正統思想，被封建統治者視為異端，於萬曆三十年（1602）被捕下獄，用剃刀自刎身亡。他是明代中葉重要的思想家、文學家。

李贄像

劉諧，字宏源，麻城（今湖北麻城）人，隆慶五年（1571）進士，李贄的朋友。這篇短小的雜文文筆詼諧而犀利，諷刺了道學家的泥古不化。文中的劉諧顯然是個機智、詼諧的人，他一句調笑的話，撕破了道家學飽學博識的面紗，使道貌岸然、自命不凡的道學家啞口無言。文章指出了以孔子的是非為是非的理論的荒謬，表達了對程朱理學的教條的懷疑和批判。

# 與言兒稽孫[1]

史桂芳

陶侃[2]運甓[3]，自謂習勞。蓋有難以直語[4]人者。勞則善心生，養德養生咸[5]在焉；逸則妄念生，喪德喪生咸在焉。吾命言兒稽孫不外一“勞”字，言勞耕稼，稽勞書史，汝父子其圖[6]之！

## 注釋

1. 本文是史桂芳給兒子史言、孫子史稽的一封信。
2. 陶侃：東晉人，曾任荊州刺史、廣州刺史、荊江二州刺史，征西大將軍。《晉書·陶侃傳》載任廣州刺史時，他每天早晨將一百塊磚從室內搬到室外，傍晚再搬回來，人問他原因，他說，他正在致力於恢復中原的事業，過分舒適，怕不能擔起這樣的重任。
3. 甓：磚。
4. 語：告訴。
5. 咸：都、全部。
6. 圖：考慮。

## 串講

陶侃搬運磚，自稱是為了習慣於勞動，其實其中還有難以直接告訴人的道理。勞動不僅強身，也能培養善德，修養道德，增強體質的效果都能在勞動中獲得；安逸便容易滋生邪念，損壞道德，傷害身體的事都在安逸中發生。我要求言兒稽孫的，不外乎一個“勞”字，言兒要在耕種稼農桑上勤於用力，稽孫要在讀書學問上刻苦用功，你們父子應該仔細考慮我說的這些話。

## 評析

史桂芳，字景實，號惺堂，鄱陽（今屬江西）人。明代嘉靖年間進士，曾任歙縣知縣，延平、汝寧知府等職，後遷浙西鹽運史。著有《惺堂文集》。

作者在給兒孫的信中着重談了“勞”對人生的重要意義。這裏所說的“勞”，即活動、勞動、工作的意思，包括體力勞動和腦力勞動等方面。信的開頭舉了東晉陶侃的例子。他身為大將軍，每天把磚頭搬出去再搬回來，表面看來是毫無意義的舉動，實際上包含着深刻的哲理。作者把“勞”看作有利於道德培養、有益於身心健康的根本法寶。勤於勞作，可以培養好的習慣、好的品性、好的體格，使人受益無窮。而貪圖安逸，則會毀掉人的一生。作為家長，無不希望晚輩出類拔萃。這裏對兒孫的要求，既不是要求有多麼高的志向，也不是要求有多麼大的本領，只要踏踏實實地作好自己應該做以及做得到的事情就行。努力耕耘，種好莊稼；開動腦筋，學好功課。人的能力、體魄，就是在這平凡的、腳踏實地的勞作中一點一點地不斷完善；人的志向、抱負，就是在這切實的努力中逐漸實現的。這樣的教育方法，看似簡單，實則抓住了要領。信的最後叮囑兒孫深思其中的道理，關愛之情，殷殷可見。

# 保俶塔看曉山[1]

高濂

山翠繞湖，容態百逞，獨春朝最佳；或霧截山腰，或霞橫樹梢，或淡煙隱隱，搖盪晴暉，或巒氣浮浮，掩映曙色。峰含旭日，明媚高彰；風散溪雲。林皋[2]爽朗。更見遙岑[3]迥[4]抹柔藍，遠岫[5]忽生濕翠，變幻天呈，頃刻萬狀。奈此景時值酣夢，恐市門未易知也。

## 注釋

1. 本篇選自高濂《四時幽賞錄》。保俶塔，在今杭州西湖。
2. 皋：水邊的高地。
3. 岑：小而高的山。
4. 迥：遠。
5. 岫：山穴。

## 串講

青山圍繞西湖，千姿百態，唯獨春天的早晨風景最美；或者淡淡的煙霧搖盪朝暉，或者山中霧氣浮動，掩映曙光。旭日在山峰中升起，明媚耀眼；晨風吹散浮雲，山林水邊一片明朗。再看遠處的小山抹上一層柔和的藍色，遠處的山坳忽然變得青翠欲滴，千變萬化均在頃刻之間。無奈這種美景的出現，正值人們酣睡之時，恐怕一般人不容易知道。

## 評析

本文描寫春天的清晨，山中的美麗景色。文中幾乎用盡形容山景、雲景的讚美之詞，但讀來並不讓人有堆砌之感，而使人感到美不勝收。杭州的風景之美，盡人皆知，古往今來，文人墨客的吟詠很多。這篇短文選取了一個特定時刻的山景來描畫，讓人覺得並不一般。文章一開始就斷言，觀賞山景，春天的清晨是最好的。接下來便詳細地描寫觀感。讀者不難發現，作者眼裏獨有的、最佳的景色，其特點全在一個動字。自然風光多是靜止不動的，除非遊人邊走邊看，主觀上改變觀賞的角度，即所謂移步換景。而文中所描繪的春曉時刻則完全不同。即使遊人佇立在一個地方，也能看到不斷變化的景色。這是有科學道理的。早晨，剛剛升起的太陽使大地由暗轉明，光線的亮度和陽光照射的角度時刻都在變化；此時空氣溫度、濕度的變化也比一天中其他時候要大得多，於是水蒸氣便在山野間起伏翻騰。這些氣象條件相互作用，便幻化出色彩斑斕、雲蒸霞蔚的景象。而這些特徵，又是在春季表現最為突出，即文中所謂“頃刻萬變”。不斷變換的景象給人以強烈的視覺衝擊，動態的風景使人沉浸在新奇、興奮、應接不暇的感覺之中，那種快感自是美妙無比的。作者把觀察到的一切，充滿熱情地描繪

西湖圖卷　（南宋・李嵩繪）

出來，顯示出不凡的才思。絕佳的美景卻不為一般人所知，作者的感歎似乎弦外有音：見人所未見，則要為人所不為；想達到特殊的境界，就要作出特殊的努力。

# 海外見聞[1]

于慎行

嘉靖中，海豐[2]有漁子數人駕一舟入海，忽為颶風所漂，泊一絕島，險峭無人，漁子相對號泣，以為必死。因入其中，見古木蓊蔚[3]，鳥雀啁啾[4]，不似人境。行可里許，林木之中，微有煙火，稍見人跡。其人皆椎結袒裼[5]，網木葉為裳[6]，面目犁[7]黑，肌膚如枯，睢睢盱盱[8]。見漁子入，相顧驚笑，語不可解。稍前逼之，輒走不敢近。其居率[9]如蘧[10]廬，而無爨釜[11]，其旁往往有池，池中以蜜浸食物，大抵黃精、薯芋之屬。漁子飢甚，前取食之，其人也不嗔[12]，但遠立而笑。已而取柏葉食之，亦將以授漁子使食。漁子始泊，舟有餘魚，已而魚盡，苦飢不得已，從之食。食久益甘，而其人亦稍狎，相與游處。但語不通耳，如是者月餘，其山澗流水處，皆文石五色，璀[13]落可玩，漁子各收數升，置之舟中。一日，颶風大至，飄返故岸。家人以為已死，見之驚喜。已而取所挈[14]文石，則皆靺鞨[15]瑟瑟諸寶也。其中有紫者，以五銖[16]入火，間以白金，成黃金二兩，不熔，則柔甚，可屈折云。

## 注釋

1. 本篇選自于慎行《穀山筆麈》卷十五，題目為編者所加。
2. 海豐：地名，今屬廣東省。

3. 蓊蔚：形容草木茂盛。

4. 啁啾：象聲詞，形容鳥叫的聲音。

5. 袒裼：袒開上衣，露出內衣或身體的一部分。

6. 裳：古代指裙子。

7. 犁：通“黧”。黑色。

8. 睢睢盱盱：睢，睜着眼睛向上看，盱，張大眼睛，睢睢盱盱，張大眼睛到處張望的樣子。

9. 率：大概。

10. 蘧：蘧麥，也作瞿麥，多年生長草本植物。

11. 爨釜：做飯的鍋。

12. 嗔：生氣。

13. 瓘：美玉。

14. 挈：提起，帶着。

15. 靺鞨：我國古代居住在東北部的民族，即女真族的祖先。

16. 銖：古代重量單位，一兩的二十四分之一。

## 串講

明代嘉靖年間，海豐有幾個漁民駕一條船出海，忽然遇颶風，漂到一座孤島旁，孤島荒蕪險峭，杳無人跡，漁民們相對痛哭，以為必死無疑。上島後，見古木參天，鳥雀飛鳴，不像有人居住的樣子。走了一里路左右，樹林中稍見煙火和人跡。那些人都敞着上衣，用樹葉編織成裙子，臉色很黑，肌膚枯澀，張大眼睛四處張望。見漁民上島，相視驚笑，說着漁民聽不懂的語言。漁民們稍一走近，他們就跑開。他們的住所像草棚，沒有做飯的鍋。住所邊往往有池，池中用蜜浸泡食物，大抵都是黃精薯芋之類。漁民們餓急了，上前拿了吃，那些人也不生氣，只是在遠處站着笑。後來他們摘柏樹葉吃，也拿來給漁民們吃。漁民們剛停船海島邊時，船上有剩下的魚，後來魚吃完，苦於飢餓，不得已，跟着島上的人吃樹葉。吃得久了就覺得甘甜，那些人也稍微隨便了些，和漁民們安然相處，只是語言不通，這樣過了一個多月。島上山澗流水處，都是彩色石頭，像玉石一樣可以把玩，漁民們各拾了幾升，放在船上。一天，颶風突起，把他們的船吹回了故鄉。他們的家人以為他們已死，見了他們又驚又喜。他們取出所帶的石頭，都是靺鞨族的珍寶。其中有一種紫的，放五銖到火裏，摻入白金，就出二兩黃金，不用熔化，就極柔軟。可以屈折而不斷。

## 評析

于慎行（1545－1608）字可遠，一字無垢，東阿（今屬山東）人。明隆慶二年進士，官至禮部尚書。著有《谷城山館詩集》和《轂山筆麈》等。

宋元明以來，隨着海路貿易的發展，文學作品中出現了不少描寫海外風光，海外風情和海外奇遇的作品。它們實際上反映了當時人們嚮往去海外冒險從而致富的心理。本篇也屬此類。篇中寫漁人與海外人語言不通但相互友好的細節甚為生動。

# 與宜伶[1]羅章二

湯顯祖

章二等安否？近來生理何如？《牡丹亭記》要依我原本，其呂家改的[2]，切不可從。雖是增減一二字以便俗唱，卻與我原作的意趣大不相同了。往人家搬演，俱宜守分，莫因人家愛我的戲，便過求他酒食錢物。如今世事總難認真，而況戲乎！若認真，並酒食錢物也不可久。我平時只為認真，所以做官做家，都不起耳。

## 注釋

1. 宜伶：宜黃藝人，羅章二，藝人名。本篇為湯顯祖寫給藝人羅章二的一封信。
2. 呂家改的：指《牡丹亭》呂胤昌改本。

## 串講

章二等好嗎？近來生活怎麼樣？演《牡丹亭》，要依照我的原本演，呂家改的劇本一定不能依照。雖然只是增減了幾個字以便於演唱，卻和我原作的意趣很不同了。給人家演戲，要守規矩，不要因人家喜歡我的戲，就過多地收取人家的錢物。如今世上的事總難認真，何況演戲呢！如果認真的話，連錢物也不可長久。我平時只因為認真，所以做官理家，都做不好。

## 評析

明萬曆刻本《牡丹亭》插圖

湯顯祖（1550－1616）字義仍，號海若、若士，別署清遠道人，撫州臨川（今江西臨川）人。萬曆十一年（1583）進士，任南京太常寺博士、南京禮部主事。因上疏批評時政，貶廣東徐聞典史，兩年後遷浙江遂昌知縣。萬曆二十六年（1598）棄官回鄉，家居18年，以詞曲自娛，67歲時卒於家中。他是明代傑出的戲劇家，所作傳奇《紫釵記》、《牡丹亭》、《南柯記》、《邯鄲記》合稱"臨川四夢"或"玉茗堂四夢"，其中，《牡丹亭》為其代表作。

戲劇大師湯顯祖在寫給一位藝人的信中表達了對戲劇事業的執著及對世事人生的看法。湯顯祖對晚輩藝人充滿關切，問了身體又問生計，說了做戲又說做人。文章自始至終貫穿着認真的態度。儘管作者感歎世上之事總難認真，儘管承認自己一生認真卻沒有落得好的結果，但對自己始終認真的態度毫無悔意，同時在信中處處流露出不順隨俗流的態度。在藝術上，要求不隨意改動原作，哪怕改動幾個字便於演唱、可能更受某些人喜愛也不行，因為作者認為那將使作品的意趣和境界大打折扣。在生活中要本分，不可因為自己的戲受歡迎便漫天要價。為人處世，為什麼最難認真？因為認真的人可能會處處碰壁，甚至連生計都成問題。而媚俗的藝人可能會紅極一時，虛偽的政客可能得到高官厚祿。認真是需要勇氣和意志的。然而認真就真的吃虧嗎？世事滄桑，多少明星轉瞬即逝，多少官宦遺臭萬年。一生認真的戲劇家的藝術成就世代受人敬仰，思想品格受人尊敬。孰得孰失，讀者自有判斷。

# 此座[1]

張大復

一鳩[2]呼雨，修[3]篁[4]靜立。茗[5]碗時供，野芳暗度，又有兩鳥咿嚶[6]林外，均節天成[7]。童子依爐觸屏，忽鼾忽止。念既虛閒，室復幽曠[8]，無事坐此，長如小年[9]。

## 注釋

1. 本篇選自張大復《梅花草堂筆談》。
2. 鳩：鳥名，又叫斑鳩，俗稱布穀鳥。
3. 修：長。
4. 篁：竹子。
5. 茗：茶芽，泛指茶。
6. 咿嚶：象聲詞，形容鳥叫聲。
7. 均節天成：均，中國古代樂器的協律器；節，一種古樂器，用竹編製，拍之發聲，此句比喻二鳥的叫聲和諧自然。
8. 曠：空闊廣大。
9. 小年：將近一年。形容時間長。

## 串講

一隻布穀鳥在鳴叫，報告着風雨就要來臨的消息，茂盛的竹林靜靜地矗立。茶碗不時端起，野花的幽香若有若無地陣陣飄來。又有兩隻鳥在樹林外嘰嘰喳喳地鳴叫，像悅耳的樂音，自然天成。童子靠在爐邊的圍屏上，一會發出鼾聲，一會停止。想着這樣清閒，屋子又幽靜、空闊，悠閒地坐在這裏，一天長得像一年。

## 評析

這篇短文表現了野居閒坐的情趣。所寫景物和人物，均突出一個“靜”字，襯托一種悠閒的情境。人的感覺受心態的影響很大，也就是所謂心理暗示。心情煩悶時視而不見的事物，內心寧靜時往往會覺得十分搶眼；心煩的時候不喜歡的東西，心靜的時候可能覺得親切。度日如年，一般用來形容痛苦難忍、時光難捱的感覺。而這裏卻反其意而用之。棄絕俗世的喧囂，保持心境平和，非但不覺寂寞，反而有了飄然欲仙的感覺。真是坐中方一日，世上已一年，可與山中方七日，世上已千年的仙境相媲美了。

# 吳因之語[1]

張大復

吳因之[2]曰：“造謗者甚忙，受謗者甚閒；忙者不能造[3]閒者之命，閒者則能定忙者之品。”此亦名言。

## 注釋

1. 本篇選自《梅花草堂集》卷二。
2. 吳因之：吳默，字因之，官太僕少卿。
3. 造：決定。

## 串講

吳因之曾說：“造謠誹謗他人的人是很忙的，被誹謗的人倒很閒；忙的人不能決定閒的人的命運，閒的人卻能判斷忙的人的人品。”這也是名言吧！

## 評析

這段話概括了常見的兩類人：誹謗他人的小人和受誹謗的君子。何以說喜歡誹謗別人的人甚忙呢？這些小人為了逐名、奪利、爭功、邀寵，整天察顏觀色，私下裏盤算，搬弄是非，挑撥離間。用“甚忙”來概括他們的為人處世之態，十分精到。忙與閒的內在區別不在行為而在於內心。誹謗他人的人心裏總在琢磨損人利己的勾當，終日惶惶惑惑、忐忑不安，不得消停。而正人君子每天只做該做的事，心懷坦蕩，內心自然安然。所以說，君子坦蕩蕩，小人常戚戚。到底誰從自己的處世之道中獲益呢？小人機關算盡，心力交瘁，總想多得便宜而不一定能如願，豈不是白忙。而正人君子，能看透小人的本質，自然也能看透世事滄桑，生活便從容不迫，自在瀟灑。

# 讀書如服藥[1]

陳繼儒

萬事皆易滿足，惟讀書終身無盡，人何不以足知之一念加之書？[2]又云：讀書如服藥，藥多力自行[3]。

## 注釋

1. 此則選自陳繼儒的《小窗幽記》卷四，題目為編者所加。
2. 足：多。知：見解，知識。
3. 藥多力自行：服用了足量的藥，就會產生足夠的藥力，藥就能夠發揮作用。

## 串講

世上的事情大多都能夠滿足，只有書是一輩子也讀不完的。人為什麼不以豐富知識的態度來看待讀書呢？又有人說，讀書如服藥，吃夠了量，藥力自然就會顯現。

## 評析

陳繼儒（1558－1639），字仲醇，號眉公，又號麋公，松江華亭（今上海松江）人。明代文學家。尤善詩、文、詞，明史評價他“極風致”，還擅做畫。

拿讀書與服藥作類比，很是新穎奇特。看起來不相干的兩件事，道理卻是相通的。病人服藥要有耐心，需要堅持不懈。藥劑的量累積到足夠多時，藥力就會顯現出來，藥便會自然而然地發揮作用。特別是傳統的中藥更是這樣。讀書也是如此。不能急功近利，不要想一蹴而就。貴在堅持，重在積累。書讀得多了，會產生潛移默化的影響。知識是會融會貫通的，觀念不斷更新進步，品德逐漸完善昇華。只要持之以恒地多讀書，一定能夠終身受益無窮。

# 田園有真樂[1]

陳繼儒

田園有真樂，不瀟灑終為忙人；誦讀有真趣，不玩味終為鄙夫[2]；山水有真賞，不領會終為漫遊[3]；吟詠有真得[4]，不解脱終為套語。

## 注釋

1. 本篇選自《小窗幽記》卷五，題目為編者加。
2. 鄙夫：粗俗、淺薄的人。
3. 漫遊：沒有目的、隨意地行走。
4. 得：收穫、收益。

## 串講

身居田園是快樂的，但不超脱、不瀟灑還是忙忙碌碌的人；讀書趣味無窮，但不細心體味仍然是粗俗的人；自然風光是優美的，但不能領會、不會欣賞則不過是隨意、漫無目的地走走；吟詠詩歌會有收益，但如果不能超脱凡俗則最終仍跳不出套話。

## 評析

世界上的事情，表面和實質往往很不相同。同樣的事情，不同的人從中所獲卻大不一樣。閒居田園，遊覽山川，可以修養身心和豐富閱歷；讀書和吟詩可以增長知識，陶冶情操。同樣的好事，為什麼有的人頗有心得，時有長進；而有的人卻收效甚微，依然故我呢？問題的實質就在於人們的精神追求各異。如果旅遊是為了隨大流、趕時髦，向人炫耀自己曾經到過某某地方，就不可能真的對所見所聞有所感受。如果讀書只是附庸風雅或者僅是為了消遣，也難以從書中真正獲得教益。另外，心理狀態也是關鍵。如果身居田園而心繫紅塵，惦記着功名利祿，那就會表面清閒而內心焦慮，實際上並不悠閒。另外，興趣和注意力都很重要。無論做什麼事，全神貫注，下功夫，才會有所得。不領會、不玩味都是指的不能用心鑽研和體會書本、自然及實踐中蘊含着的深刻道理，其結果自然是只瞭解到一些皮毛，終究不能擺脫內裏的粗俗和淺薄。

《秋聲賦意圖》（清・華嵒繪）

# 跋[1]姚平仲[2]小傳

陳繼儒

人不得道，生老病死四字關，誰能透過？獨美人名將，老病之狀，尤為可憐。夫紅顏化為白髮，虎頭健兒化為雞皮老翁，亦復何樂？西子[3]入五湖，姚平仲入青城山，他年未必不死，直是不見末後一段醜境耳。故曰：神龍使人見首而不見尾。

## 注釋

1. 跋：寫在文章後面的短文。
2. 姚平仲：宋代戰將。靖康元年（1126），金兵進犯宋都開封，姚平仲率軍入京師。因夜襲金營未獲成功，逃往四川青城山中，當時他約二十來歲，到南宋乾道、淳熙（1174－1189）年間再露面時，已是年逾八旬的老翁了。
3. 西子：即西施，春秋末年越國人。由越王勾踐獻給吳王夫差，成為夫差最寵愛的妃子。傳說吳亡後，與范蠡泛舟五湖。

## 串講

人如果不得道，生老病死四個字誰都悟不透。特別是美女、名將老病時的情形最為可憐。嬌美的容顏變為白髮蒼顏，虎頭虎腦的小伙子變成雞皮老翁，再沒有樂趣可言。西施泛遊五湖，姚平仲躲進青城山，過些年未必不死，只是人們看不見他們暮年的老態病狀罷了。所以說：神龍讓人只見頭不見尾。

## 評析

本文抒發對人生的感慨，視角獨特。生老病死是自然規律，誰也不可能超然其外。這種由盛而衰的變化，發生在普通人身上很平常，而發生在某些特殊人物身上則讓人有觸目驚心之感。所有人的老病之態大體相近，而那些特殊人物由於出類拔萃，為世人熟知，便使盛衰之間的反差顯得強烈。文中以美女和武將作為例子，以紅顏對白髮、以虎頭健兒對雞皮老翁，形成鮮明的對比。古往今來，不知有多少曾經春風得意的人發出風光不再、人走茶涼的感歎。文中舉出西施和姚平仲，不僅因為他們是美女中的翹楚、武將中的佼佼者，還因為他們選擇了相似的人生歸宿，功成告退，歸隱田園，即人們常說的見好就收。生老病死的自然規律不能改變，但可以學神龍之態，讓人見首不見尾。不讓人看到晚景的窘狀，只把生命中輝煌的一面留在世間。這種激流勇退、回歸自然的追求，也算是對人生的徹悟吧。

# 秦士好古物[1]

謝肇淛

秦士有好古物者，價雖貴，必購之。一日，有人持敗席[2]一扇，踵門[3]而告曰：“昔魯哀公命席[4]以問孔子，此孔子所坐之席也。”秦士大愜[5]，以為古，遂以負郭之田[6]易之。逾時，又有持枯竹一枝，告之曰：“孔子之席，去今未遠，而子以田售。吾此杖乃太王避狄，杖策去邠時所操之箠[7]也，蓋先孔子又數百年矣，子何以償我？”秦士大喜，因傾家資悉與之。既而又有持朽漆碗一隻，曰：“席與杖皆周時物，因未為古也。此碗乃舜造漆器時作，蓋又遠於周矣，子何以償我。”秦士愈以為遠，遂虛[8]所居之宅以予之。三器既得，而田舍資用盡去，到無以衣食。然好古之心，終未忍舍三器。於是披哀公之席，持太王之杖，執舜所作之碗，行乞於市，曰：“那個衣飲父母，有太公九府錢，乞[9]我一文。”聞者噴飯。

## 注釋

1. 秦士好古物：選自《五雜俎・事部》，題目為編者加。
2. 敗席：破舊的蓆子。敗：衰落，凋殘。
3. 踵門：來到（他的）門前。踵，走到，來到。
4. 命席：下令安排座位。
5. 愜：心滿意足，十分高興。

6. 負郭之田：靠近城牆的田地，指近郊良田。負，背靠着。

7. 箠：鞭子。

8. 虛：使（宅子）空着，讓出。

9. 乞：給。

## 串講

秦朝有個人特別喜歡收藏古物，價錢再貴也要買下來。一天，有人拿着一張破破爛爛的蓆子，進門對他說，當年魯哀公曾讓孔子坐在這張蓆子上。秦士聽了很興奮，便把家中的田產都給了來人，換了這件"古董"。過了幾天，又有人手持一根乾枯的竹竿對他說，孔子的蓆子離現在沒有多久，而你用田產去交換，我的這根手杖是太王避狄時所持，比孔子坐過的蓆子又早了幾百年呢，你拿什麼來買呢？秦士覺得這東西更古老，更是樂不可支，便把家裏所有的財產都花掉，買了這根竹棍。後來，又有人拿着一個糟朽不堪的漆碗，說你那蓆子和手杖都是周朝的東西，算不得古老，我這可是舜帝時所造的碗，比周朝又要古老許多。你拿什麼來換？秦士大喜過望，於是用自己的住宅買了這隻碗。得到了三件"古董"，可是田地、家產和住宅都沒了。到了衣食無着的地步，秦士仍然不願放棄那三件古物。只好披着孔子的蓆子，拄着太王的竹杖，端着舜帝的漆碗沿街乞討。嘴裏還說着，哪位好心人有太公府裏的古錢幣，賞給我一文吧！聽說的人都忍不住大笑。

## 評析

謝肇淛（1567－1624），字在杭，福建長樂人。明代文學家。萬曆二十年進士。曾任南京刑部主事，兵部主事，工部郎中等職。他任工部郎中期間，治理黃河。後來升任雲南參政，廣西按察史、布政史等。他學識淵博，著述頗豐。有《北河記》，《小草齋集》，《五雜俎》等。

本文以誇張的手法刻畫了一個盲目崇尚古董的人物。愛好古董、收藏古董的人很多，這需要有豐富的歷史知識，有敏銳的識別和鑒賞能力，追求的是凝聚了前人文化精華、並有審美價值和收藏價值的東西。而這個秦士，不認真分析，也不仔細鑒別，連那些東西是否是真的古物都沒搞清楚，只要聽人說與某某古人有關就以為是價值連城的珍寶，不惜傾家蕩產也要據為己有。由於愚昧和輕信，自然要不斷鬧出把破爛當寶貝的笑話。作者選擇蓆子、竹竿、碗作為道具是頗具匠心的。這三種東西全是日常生活中常見而且常用之物，加上已經破爛不堪，更是一錢不值。稍微有點頭腦的人都知道，草、竹、木製品不容易長期保存，怎麼可能是數百、幾千年前的古董呢？只因為別人說是某某古名人用過便立刻把破爛當作至寶，顯示了秦士好古之情的無知和偏執。這三件東西後來成了上街乞討時的用品，具有很強的戲劇效果和諷刺意味。文章的結尾意味深長，他甚至在乞討時，也是求人將古錢施捨給他，而且指名要那珍貴稀少卻不能流通使用的“太公九府錢”。秦士的執迷不悟和泥古不化實在讓人哭笑不得。在作者所處的時代，文壇上有一股復古思潮。本文對復古派給予了辛辣的嘲諷和有力的抨擊。與復古派對立的性靈派的代表人物袁宏道稱讚他“胸懷爽潔”，將他視為同道。

# 觀第五泄記[1]

袁宏道

從山門[2]右折，得石徑。數步聞疾[3]雷聲，心悸[4]。山僧曰：“此瀑聲也。”

疾趨[5]，度石罅[6]，瀑見。石青削[7]，不容寸膚[8]，三面皆郛[9]立。瀑行青壁間，撼山掉[10]谷，噴雪直下，怒石橫激[11]如虹，忽卷掣[12]折而後注，水態愈偉，山行之極觀[13]也。

遊人坐欹[14]岩下望，以面受沫，乍若披絲，虛空皆緯[15]，至飛雨瀉崖，而猶不忍去。

暮歸，各賦詩[16]。所目既奇，思亦變幻，恍惚牛鬼蛇神[17]，不知作何等語。時夜已午[18]，魈[19]忽虎號[20]之聲，如在床几[21]間。彼此諦觀[22]，鬚眉毛髮，種種[23]皆豎，俱若鬼矣。

## 注釋

1. 第五泄：第五個瀑布。第五泄在浙江省諸暨縣西的五泄山，此山有五處大瀑布，當地人稱瀑布為泄，所以名這座山為五泄山。
2. 山門：山門是佛教寺院的大門，此處指五泄寺的山門。
3. 疾：迅猛的。
4. 悸：因害怕而心跳。
5. 疾趨：快步行走。

6. 罅：裂縫。

7. 青削：形容山石的顏色和形狀，顏色青綠，陡峭如刀削斧劈。

8. 寸膚：形容山峰尖聳。古代計算長度，一指寬叫寸，四指並在一起的寬度叫膚。

9. 郛：古代城的外城牆。

10. 掉：此處意為搖動。

11. 激：水沖擊。

12. 掣：拽、拉、引。

13. 極觀：最好的景觀。

14. 攲：斜靠。

15. 緯：緯線，編織品的橫線。

16. 賦詩：作詩。

17. 牛鬼蛇神：比喻各種怪誕的形象。牛鬼是佛經中所說的地獄中的牛頭虎，蛇神即指蛇精。

18. 夜已午：指半夜，夜裏十二點前後。

19. 魈：傳說中山中的鬼怪。

20. 號：叫。

21. 几：小桌子。

22. 諦觀：仔細看。

23. 毶毶：毛短貌。

## 串講

從五泄寺的山門向右拐彎，有一條石頭鋪成的小路。沿着小路向前走了幾步，便聽到迅疾猛烈的雷聲，我嚇了一跳。山裏的僧人說："這是瀑布發出的聲音。"

我快步向前走，穿過一道岩石的裂縫，瀑布出現在眼前。青綠色的山石陡峭如削，山石林立，間隔很窄，三面都是像城牆般直立着的山岩。瀑布從青色的石壁間奔瀉而出，其氣勢撼動山嶽，震盪山谷，噴射出來的像雪一樣白的水流，直衝山下，突兀的岩石橫攔水流，飛濺的水花中現出一道彩虹，水流突然翻捲轉折向後傾注，水勢更加宏偉，這是這次進山遊覽中最好的景致了。

遊人坐在山下，斜靠在岩石邊觀賞瀑布，臉上感受着瀑布飛流直下時濺出的水霧，開始好像蠶絲，憑空飛着，都是緯線，沒有經線，後來，像飛雨從山崖瀉下來，人們仍然不忍離去。

《秋林觀瀑圖》（明・沈貞繪）

傍晚回到住所後，大家各自寫詩。因為白天看到的景致奇特壯觀，我的思緒也變幻無窮，眼前似乎出現牛鬼蛇神的幻影，不知在說什麼。這時，已是午夜，鬼怪呼嘯，老虎吼叫的聲音，好像就在屋裏的床和桌子中間。大家面面相覷，每個人鬚眉毛髮都豎着，都像鬼一樣。

## 評析

袁宏道（1568－1610），字中郎，號石公，又號六休、石頭道人，湖廣公安（今湖北公安）人。明萬曆二十年（1592）

進士。曾任吳縣縣令，一年餘辭官而去。後又出任順天府教授、禮部儀制司主事等職，官至吏部考功司員外郎。他與兄袁宗道，弟袁中道並稱“公安三袁”。在詩文創作上，他們反對前、後七子的復古主張，以文學實踐力矯復古之弊。他們主張文學要獨抒“靈性”，不拘格套，作品形成了“清新輕俊”的風格，被稱為“公安派”。袁宏道在“三袁”中最為著名，著有《袁中郎集》。

本文描寫山中瀑布的奇異景致及觀賞之後所留下的深刻印象。寫瀑布，未見其狀，先聞其聲：還沒有到瀑布跟前，就先被激流奔湧時雷鳴般的聲響所震驚，把人們的注意力一下就吸引到壯觀的瀑布上。接下來是對瀑布詳盡的描畫：陡峭的山崖，直瀉的水流，白雪一般飛濺的水花。這樣描寫可謂繪聲繪色，使讀者頓生身臨其境之感。再往下作者更加靠近瀑布，感覺也從聽、看發展到以身體去感觸。瀑布的水勢浩大，遊人當然不可能走近到瀑布下面，只能在旁邊感受飛濺的水霧。作者的比喻很奇妙，那些在空中飛過的水珠，像晶瑩的蠶絲，像織布時隨着梭子橫着穿來穿去的緯線。讀者就是從作者細緻入微的感覺及描寫中看到了這一瀑布特有的壯麗。最後一段寫瀑布給人留下了持久的、揮之不去的印象。眼前的牛鬼蛇神分明是瀑布與山石碰撞幻化出來的景象；那轟鳴的濤聲也化作虎嘯龍吟；同伴之間互相觀察，大家都是一副毛骨悚然的模樣。這些想像和細節描寫，說明所有的人都沉浸在觀瀑布的震撼之中，由此可見觀瀑布那動人心魄的感受是多麼強烈。

# 宜稱

袁宏道

插花不可太繁，亦不可太瘦，多不過二種三種。高低疏密，如畫苑佈置方妙。置瓶，忌兩對，忌一律，忌成行列，忌以繩束縛。夫花之所謂整齊者，正以參差不倫[1]，意態天然，如子瞻[2]之文隨意斷續，青蓮[3]之詩不拘對偶，此真整齊也。若夫枝葉相當，紅白相配，此省曹[4]墀[5]下樹，墓門華表也，惡得為整齊哉？

## 注釋

1. 倫：條理，次序。
2. 子瞻：宋代文學家蘇軾，子瞻是他的號。
3. 青蓮：指唐代詩人李白。
4. 省曹：指官邸。
5. 墀：台階。

## 串講

插花不能太多，太雜，也不能太少，太單調，最多不過兩三種。讓它們高低不齊、疏密相間，像畫苑中放置花卉的佈局才好。放置花瓶，不能兩個相對，不能同樣的放在一起，不能成行排列，不能用繩子束縛。花的整齊，正在於它們參差不齊的天然狀態。像蘇軾的文章隨意斷續，李白的詩不拘泥於對偶，這才是真正的整齊。如果枝葉按比例排列，紅白顏色呆板相配，這是官邸台階下的樹，墓門的華表，哪裏是整齊呢？

## 評析

解說插花的技巧，同時也說明了藝術創作有着普遍的規律。怎樣插花才好看，太多、太雜亂不好；太少、太單調也不好。重要的是把握一個度。參差不齊、錯落有致、接近自然才是最美的。反之，像官府台階下的花木和墓地的華表之類的裝飾物，雖然經過精心雕琢，工工整整，富麗堂皇，卻缺少自然美，往往顯出俗氣和匠氣。插花的道理與畫畫、做詩、寫文章是相通的，講究疏密相間、高低錯落；要取捨得當、接近自然。過分地堆砌、雕琢、粉飾只會弄巧成拙。真正的藝術家，其才情，其功力，就體現在這個“稱”字上。恰到好處、渾然天成的藝術品，才會產生動人的美感。

# 致李子髯[1]

袁宏道

髯公[2]近日作詩否？若不作詩，何以過活這寂寞日子也？人情[3]必有所寄[4]，然後能樂[5]。故[6]有以弈[7]為寄，有以色[8]為寄，有以技[9]為寄，有以文為寄。古之達人[10]，高人一層，只是他情有所寄，不肯浮泛虛度光景[11]。每見無寄之人，終日忙忙，若有所失，無事而憂，對景不樂，即自家亦不知何緣故。這便是一座活地獄[12]！更說甚麼鐵床、銅柱、刀山、劍樹[13]也。可憐，可憐！

大抵世上無難為[14]的事，只胡亂做將[15]去，自有水到渠成日子。如子髯之才，天下事何不可為？只怕慎重大[16]過，不肯拚着便做。勉之哉[17]！毋[18]負知己相成之意也。

## 注釋

1. 這是明萬曆二十四年(1596)袁宏道在吳縣寫給妻弟李子髯的一封信。
2. 髯公：即李子髯。李子髯本名李學元，字素心，又字元善、存齋，子髯是他的號。他從小和袁宏道是同學，後來袁宏道娶他姐姐為妻。
3. 情：感情。
4. 寄：寄託。
5. 樂：心情愉快。
6. 故：所以。

7. 弈：下圍棋。

8. 色：女色、情慾。

9. 技：技藝、技巧、技術。

10. 達人：深明事理的人。達，對事物認識得透徹。

11. 光景：光陰、時光。

12. 活地獄：地獄本是宗教教義中描繪的人死後靈魂受苦受難的場所，活地獄，比喻人間生活痛苦得難以忍受。

13. 鐵床、銅柱、刀山、劍樹：佛教所說的四種地獄酷刑，此處以此襯托活地獄摧殘人的程度之深。

14. 為：做。

15. 將：助詞，表示動作的開始。

16. 大：同"太"。

17. 勉之哉：努力吧。

18. 毋：不要。

## 串講

髯公最近寫詩了沒有？如果不寫詩，怎麼度過這些寂寞的日子呢？人的感情必須有所寄託，心情才會快樂。所以，有的人以下棋作為精神寄託，有的人以女色作為精神寄託，有的人以追求技藝的完美作為精神寄託，有的人以讀書作文為精神寄託。古代通達的人，他們之所以高人一層，只是因為他們的精神有所寄託，不肯虛度光陰，浪費時間。我常常見到精神無所寄託的人，他們終日忙忙碌碌，但總感到若有所失，沒有發生什麼事便憂心忡忡，面對美好的景致也快樂不起來，即使他們自己也不知道是什麼原因。這樣的生活，便是一座活地獄！不必說什麼鐵床、銅柱、刀山、劍樹了。這些人可憐啊，可憐！

世上大抵沒有難做的事，只管先胡亂地做起來，自然會有水到渠成、馬到成功的日子。像子髯這樣的才能，天下的事有什麼不可以做的？只怕過分慎重，不肯先硬着頭皮去做。努力吧！不要辜負知己關心你，希望你成功的一片心意。

## 評析

一封普通的書信包含着不少人生哲理。人在精神上要有所寄託，才能保持內心寧靜和心情愉快。或下棋、或讀書、或鑽研某種技藝等等，都會使人心態平和，感到生活充實。如果心無所繫，精神空虛，內心所受的折磨要比肉體遭受酷刑還要難受百倍。有美景不能欣賞，生活的樂趣無心體會，無事自尋煩惱，活得既沒有意義也沒有意思，活地獄的比喻真是恰切。後面一段講的是做事的態度。只胡亂的作將去，這一提法很新穎。胡亂並不是輕率、蠻幹，而是勇於開始，敢於嘗試，不要顧慮重重的意思。不必等到一切都計劃好、考慮好、準備好之後才開始做，那將錯過很多機會，甚至永遠也不能開始。生活中，有許多本來應該做，也完全能夠做的事情，由於過分慎重、瞻前顧後而在沒有開始時就放棄了。從這個意義上，對萬事開頭難這句話應該這樣理解，世上沒有難做的事

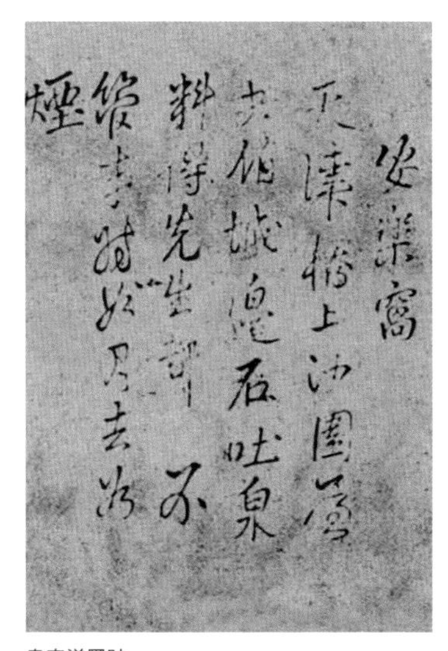

袁宏道墨跡

情，難就難在缺乏開始做的勇氣。文章表面是說的兩件事情，精神要有寄託和做事不要顧慮重重。其實兩件事是密切相關的。精神有寄託必然是有具體的事情做，而打消了顧慮，全身心投入到自己感興趣的事情中，自然精神也就有了寄託，不再庸庸碌碌，自尋煩惱了。只胡亂做將去，自有那水到渠道成的一天。這是作者對知心朋友的勉勵，也是對讀者的最大啟示。

# 滿井遊記

袁宏道

燕地[1]寒，花朝節[2]後，餘寒猶厲，凍風時作；作則飛砂走礫。局促一室之內，欲出不得；每冒風馳行，未百步輒返。

廿二日，天稍和，偕數友出東直[3]，至滿井。高柳夾堤，土膏微潤，一望空闊，若脫籠之鵠[4]。於時冰皮始解，波色乍明，鱗浪層層，清澈見底，晶晶然如鏡之新開，而冷光之乍出於匣也。山巒為晴雪所洗，娟然[5]如拭，鮮妍明媚，如倩女之靧[6]面而髻鬟[7]之始掠也。柳條將舒未舒，柔梢披風。麥田淺鬣[8]寸許。遊人雖未盛，泉而茗者，罍[9]而歌者，紅裝而蹇[10]者，亦時時有。風力雖尚勁，然徒步則汗出浹背。凡曝沙之鳥，呷[11]浪之鱗，悠然自得，毛羽鱗鬣之間，皆有喜氣。始知郊田之外，未始無春，而城居者未之知也。

夫能不以遊墮事，而瀟然於山石草木之間者，惟此官也。而此地適與余近，余之遊將自此始，惡能[12]無紀？己亥[13]之二月也。

## 注釋

1. 燕地：這裏指北京。燕是周朝國名，在今河北省北部一帶。
2. 花朝節：舊時以農曆二月初二（一說十二或十五）為百花生日，稱為花朝節。

3. 東直：東直門，北京內城東北的一個城門。

4. 鵠：一種水鳥，羽毛多白色，也稱天鵝。

5. 娟然：秀美的樣子。

6. 靧：洗臉。

7. 髻鬟：環形的髮式。

8. 鬣：獸頸上的長毛。這裏指低矮的麥苗。

9. 罍：古時的一種盛酒器具。

10. 蹇：驢，此處指騎驢。

11. 呷：小口地喝，吸飲。

12. 惡能：怎能，哪能。

13. 己亥：指萬曆二十七年（1599）。

## 串講

北京地區天氣寒冷，花朝節之後，冬季的餘寒還很厲害。不時寒風大作，颳風時便到處飛沙走石。被拘束在屋裏，想出門走走都不能如願。每次冒着風寒出門，快步行走，沒有走到一百步就返回來了。二十二日，天氣稍暖，和幾個朋友出東直門，到滿井。高高的柳樹，排列在堤岸兩旁，肥沃的土地微微有些濕潤。一眼望去，四野開闊，頓時感到像出了籠的鵠鳥一般心情舒暢。這時，水上的冰開始解凍，水面剛從冰層中露出，閃着波光。細浪層層，河水清澈見底。水面有如新開的鏡面，清冷的銀光剛射出鏡匣。遠處的山峰被融化的積雪洗過，像擦拭過一樣秀美，鮮艷明媚，像美麗的女子剛洗過臉，梳理好髮髻。柳枝將要發芽，柔嫩的枝梢被風吹拂。麥田裏的麥苗，像馬鬃毛似的有一寸多高了。雖然遊人不太多，但是臨泉品茶，對酒而歌的人，以及騎着毛驢的盛裝的女人，已是時時可見了。風力雖然猛烈，然而步行一段仍然汗流浹背。那些在沙灘上曬太陽的水鳥，吸飲河水的游魚，都悠然自得，安閒舒適，鳥獸蟲魚中間，似乎都洋溢着喜氣。我才知道，荒郊野外並非沒有春天，只是在城市中生活的人不知道罷了。能夠不因為遊覽而耽誤公務，可以自由自在地沉醉在山石草木之間的，只有我這個官呵。而這個地方正好離我近，我的郊遊將從這裏開始，怎麼能夠沒有記遊文字呢？己亥年二月。

## 評析

本篇是袁宏道遊記中的佳作，描寫北京郊野初春時節的自然景色以及作者遊春的感受，筆調清新明快。北京的早春與南國不同。北京的早春多風而仍有凜冽的寒意，使得那些想出外賞春的人很是躊躇不決，這就為後面的描寫做了鋪墊：遊春的慾望早已經按捺不住了，一旦置身於大自然中，自然掩飾不住興奮之情。文章對早春景色的描寫，使人頓生身臨其境之感。山、水、樹木，農田，飛鳥、游魚，一切都在春寒料峭中顯出勃勃生機。那水面既不是寒冬時的冰凍三尺，又非春暖以後的一派碧波。“冰皮”一詞用得傳神，薄冰將化未化之間，波光凜冽而耀眼。因為剛剛解凍，水中的生物還沒有開始繁殖，各種雜物都很少，所以更使人感覺清澈無比，清爽異常。文中多用比喻來刻畫所見景物及心中的感受。前者有山色如美女、水光如鏡等，後者形容置身廣闊原野上的感覺如同出籠的鳥兒，愉悅歡快之情躍然紙上。在城市裏生活的人們，為官的、經商的、做工的，如果終年醉心於功名利祿或埋頭於繁忙的事物之中，怎能欣賞得到春天的美景？怎能領略大自然的美妙？又怎能體會到生活的無限樂趣呢？作者感悟到了這一點，並且詼諧地感歎，能親近自然美景而又不失職守的官員，僅他一人。讚歎自然景色的美好，追求生活的多姿多彩，這是春遊的最大收穫，也使這篇文章具有了更深的意義。

# 與陳眉公[1]

鍾惺

相見甚有奇緣，似恨其晚。然使前十年相見，恐識力各有未堅透處，心目不能如是之相發也。朋友相見，極是難事，鄙意[2]又以為不患[3]不相見，患胡見之無益耳。有益矣，豈猶恨其晚哉！

## 注釋

1. 本篇是當時文壇竟陵派領袖鍾惺給陳繼儒的一封短信。陳繼儒，號眉公。
2. 鄙意：謙詞，用於自稱，意為我認為，我的意見。
3. 患：憂慮。

## 串講

朋友相見有特殊的緣分，似乎都有相見恨晚的感歎。然而假使前十年相見，恐怕雙方識力都有不夠堅實、敏銳的地方，心目不能像現在這樣互相激發親切和傾慕的感覺。朋友相見，是極難的事，我認為不怕不相見，只怕相見後都覺得無益。如果有益，哪裏還會怨相見得晚呢！

## 評析

鍾惺（1574－1624），字伯敬，號退谷，湖廣竟陵（今湖北天門）人。萬曆三十八年進士。官至福建提學僉事，後以通關節被言官劾罷。能詩善畫，與同里譚元春為竟陵派的創始人。其詩風格幽深孤峭，追求形式的險僻。提倡抒寫性靈，反對當時前後七子的擬古主張。與譚元春評選唐人詩為《唐詩歸》；評選隋以前詩為《古詩歸》。著有《隱秀軒集》。

高山流水圖軸 （清・梅清繪）

人們在乍遇到兩心相悅的朋友時，常常會發出相見恨晚的感慨。俗話說，人上一百，形形色色。茫茫人海中能遇到一個話語投機，心有靈犀的朋友，欣喜、振奮，恨沒能早日相識，確實算是人之常情。本文卻另有獨到的見解：倘若真的十年前相見，未必真能成為心有靈犀的朋友。這樣說完全是從發展的角度看問題，很有見地。人是不斷變化的，今日一見傾心的朋友，十年前的情形會很不一樣。雙方相對都閱世不深，相應的才學、情感、洞察力及理解力都沒有成熟到今天的程度，因此不一定會互相理解、相互欣賞和傾慕，說不定話不投機，竟成路人呢。由此看來，交到真正知心的朋友確實是極難的，難怪古人常說，人生得一知己足矣。這其中真是有奇特的緣分，人海茫茫，知音難覓。如果無緣相識，自然難成朋友；即使遇見了，但時機不合適，也可能不能成為朋友。這不是緣分嗎？與人交往，一定要有收穫，如果和朋友相見，能相互啟迪心智、受到激勵，感到愉悅，那就是幸運的，大可不必有相見恨晚的感傷。

# 夏梅說

鍾惺

梅之冷，易知也，然亦有極熱之候[1]。冬春冰雪，繁花粲粲[2]，雅俗[3]爭赴，此其極熱時也。三四五月，纍纍其實，和風甘雨之所加，而梅始冷矣。花實俱往[4]，時維[5]朱夏[6]，葉幹相守，與烈日爭，而梅之冷極矣。故夫看梅與詠梅者，未有於無花之時者也。張謂[7]《官舍早梅》詩所詠者，花之終，實之始也。詠梅而及於實，斯[8]已難矣，況葉乎！梅至於葉，而過時久矣。

廷尉[9]董崇相[10]官南都[11]，在告[12]，有夏梅詩，始及於葉。何者？捨葉無所為夏梅也。予為梅感此誼[13]，屬[14]同志者和[15]焉，而為圖卷以贈之。

夫世固有處極冷之時之地，而名實[16]之權在焉。巧者[17]乘間赴之，有名實之得，而又無赴熱之譏。此趨梅於冬春冰雪者之人也，乃真附[18]熱者也。苟[19]真為熱之所在，雖與地之極冷，而有所必辯焉。此詠夏梅意也。

## 注釋

1. 候：時節。

2. 粲粲：鮮亮、美好的樣子。

3. 雅俗：指高雅的人和粗俗的人。

4. 往：過時，指花果枯萎，凋謝。

5. 維：詞助語，無具體含義，一般用在時間之前。

6. 朱夏：夏季，古時候稱夏季為朱明，也叫朱夏。

7. 張謂：唐代詩人。他的《官舍早梅》詩中寫道："階下雙梅樹，春來畫不成。晚時花未落，陰處葉難生。摘子防人盜，攀枝畏鳥驚。風光先佔得，桃李莫相輕"。這首詩是歌詠花將凋謝，開始結果的梅樹的。

8. 斯：這。

9. 廷尉：即大理寺卿，掌管刑獄之事的官員。

10. 董崇相：即董應舉，字崇相，作者的朋友，當時任南京大理寺丞。

11. 南都：今南京市。因明太祖朱元璋在南京定都，遷都北京後，這裏稱為南都。

12. 在告：在休假期間。

13. 誼：情誼。

14. 屬：囑咐。

15. 和：和詩，依照別人詩的意思或格律寫詩。

16. 名實：名稱和實際。

17. 巧者：投機取巧的人。

18. 附：依附。

19. 苟：如果。

## 串講

梅花喜歡寒冷，這是人們知道的，然而它也有極熱的季節。嚴冬初春，冰天雪地，梅花盛開，鮮艷奪目，高雅的人、粗俗的人都爭先恐後地前去觀賞，這是梅花的極熱季節。三四五月，梅樹果實纍纍，和風細雨撫慰滋潤着它們，而它們開始受到冷遇。當梅樹花朵凋謝，果實成熟，時間已到夏季，只有樹葉和枝幹還堅守着，與烈日抗爭，這時，梅樹所受的冷遇也到了極點。觀賞梅花和歌唱梅花的人在梅花不開的季節根本沒有。張謂的《官舍早梅》一詩所歌詠的，是梅花將謝，梅子剛結時的梅樹。歌唱梅花而涉及到果實，這已經很難了，何況葉子呢！從梅花盛開到梅樹葉繁茂，間隔的時間太久了。

廷尉董崇相在南京作官，休假期間，寫了夏梅詩，涉及到梅樹葉。為什麼呢？捨去葉子就無法描繪夏天的梅樹了。我為梅花感激這份情誼，囑咐志同道合的人和詩，並且寫在圖卷上贈送給他。

世間總有處境極冷的時候和地方，而名實之權衡所在皆是。投機取巧的人趁這個空隙趕去，名聲好聽，又不會受到說他們趨趕潮流的譏諷，這就是說，在嚴冬初春的冰雪之中觀賞梅花的人，是真正的趕時髦的人。如果真要寫夏天的梅花，雖然夏梅受到一般賞梅人的冷遇，但其中有必須辯明的內容。這就是歌詠夏梅的寓意。

## 評析

文章通過對梅花在冬天和夏天的不同境遇的評說，諷刺世間的人情冷暖，譴責趨炎附勢的庸俗之輩。以梅花為例，其境遇的冷熱與時令的冷熱正好相反，其中的寓意耐人尋味。寒冷的冬天，梅花衝寒盛開，觀者如雲，好評如潮。到了盛夏，梅花花果皆無，沒人理睬。也即天冷時熱鬧之極，天熱時卻受冷遇。讚美梅花的人中，有些是隨大流、湊熱鬧，趕時髦，人云亦云；有些則是從吹捧中大撈好處，他們對梅花外在與內在的美並沒有充分的認識。而在夏天梅花樸素無華、遭到冷遇時仍然對它喜愛備至的人，才是真正有主見的人。他們對梅花外表的美麗和內在的品格都有深刻的瞭解，因而生出欣賞和崇敬之情。生活中也是如此，當一些人春風得意時，常常受到熱烈的吹捧，吹捧者中有趕時髦的，也有撈實惠的。到了這些人風光不再時，吹捧者便多不見了蹤影。而真正志趣相投的人，則不論何時何地都會以誠相待，關愛有加。梅花，應該為有愛好夏梅的人而欣慰；而我們每一個人，則應該為有甘苦與共的朋友而慶幸。

《墨梅圖》（元・王冕繪）

# 浣花溪記

鍾惺

出成都南門，左為萬里橋[1]。西折纖秀長曲，所見如連環、如玦、如帶、如規，色如鑒、如琅玕[2]，如綠沉瓜，窈然[3]深碧、瀠迴城下者，皆浣花溪委[4]也。然必至草堂，而後浣花有專名，則以少陵[5]浣花居在焉耳。

行三四里為青羊宮[6]，溪時遠時近，竹柏蒼然，隔岸陰森者盡溪，平望如薺，水木清華，神膚洞達。自宮以西，流匯而橋者三，相距各不半里。舁夫云通灌縣，[7]或所云"江從灌口來"是也。[8]

人家住溪左，則溪蔽不時見，稍斷則復見溪，如是者數處，縛柴編竹，頗有次第。橋盡，一亭樹道左，署曰"緣江路"。過此則武侯祠[9]，祠前跨溪為板橋一，覆以水檻，乃睹"浣花溪"題榜。過橋一小洲，橫斜插水間如梭。溪周之，非橋不通，置亭其上，題曰"百花潭水"。由此亭還度橋，過梵安寺，始為杜工部祠[10]。像頗清古，不必求肖，想當爾爾。石刻像一，附以本傳，何仁仲別駕[11]署華陽時所為也。碑皆不堪讀。

鍾子曰：杜老二居，浣花清遠，東屯[12]險奧，各不相襲。嚴公[13]不死，浣溪可老，患難之於朋友大矣哉！然天遣此翁增夔門一段奇耳。窮愁奔走，猶能擇勝，胸中暇整[14]，可以應世，如孔子微服主司城貞子時也。[15]

時萬曆辛亥[16]十月十七日，出城欲雨，頃之霽。使容遊者，多由監司郡邑招飲，[17]冠蓋稠濁，磬折[18]喧溢，迫暮趣[19]歸。是日清晨，偶然獨往。楚人鍾惺記。

## 注釋

1. 萬里橋：在成都南門外錦江上。三國蜀建興四年（226），費禕奉命出使吳國，在此餞行時，感歎道："萬里之路，始於此橋。"故名萬里橋。
2. 琅玕：似珠玉的美石。
3. 窈然：幽深的樣子。
4. 委：指水的下游。
5. 少陵：指杜甫。因杜甫曾在長安縣南少陵居住，故稱。
6. 青羊宮：成都西邊的著名道觀。
7. 舁夫：轎伕。灌縣：在成都西北。
8. 江：指長江支流岷江。灌口：山名，在灌縣城南。
9. 武侯祠：三國時蜀相諸葛亮的享廟。
10. 杜工部祠：在杜甫草堂遺址上建的紀念杜甫的祠堂。杜甫曾任檢校工部員外郎，故稱杜工部。
11. 別駕：官名。漢置別駕從事史，為刺史的佐吏。隋唐改為長史，唐中期以後諸州仍以別駕、長史並置，為州府的副長官。
12. 東屯：地名，在夔州（今四川奉節）城東瀼溪岸。
13. 嚴公：指嚴武。唐肅宗乾元二年(759)，杜甫入川後不久，嚴武任劍南節度使，對杜甫多有照應。嚴武死後，杜甫無所依靠，遂東下夔州。
14. 暇整：同"整暇"，形容既嚴謹而又從容不迫。

15. “如孔子”句：魯哀公三年(前492)，孔子到宋國宣講他的理論，宋國司馬桓魋要害他，孔子曾逃到陳國，住在司城貞子家中。司城，官名，掌管工程，即司空。春秋時宋國因武公名司空，改司空為司城。貞子，人名，春秋時陳國大夫。

16. 萬曆辛亥：萬曆三十九年（1611）。

17. 監司：監察州縣的地方長官的簡稱。明代按察使因掌管監察，稱監司。郡邑：州縣長官。

18. 磬折：形容身體屈曲如磬，指哈腰鞠躬。磬，古代一種曲尺形的打擊樂器。

19. 趣：趕快，從速。

## 串講

出了成都的南門，左邊是萬里橋，往西拐，溪水蜿蜒曲折，像玉環、像絲帶，顏色像各種碧綠的奇石美玉。到成都遊覽的人必然要到草堂，而浣花溪則是因為杜甫曾經居住於此而聞名。

向前走三四里，是青羊宮。溪流或遠或近蜿蜒地從旁邊流過，竹林和柏樹鬱鬱蔥蔥，遙望對岸，水流清澈，草木繁茂，身心為之一爽。青羊宮的西邊，有三條河匯流橋下，轎夫說通到灌縣，也許就是人們說的“江從灌口來”。

沿着溪流住着一些人家，遮住了溪流。沒有人家的地方溪流又出現在眼前。這樣的景致有好幾處。樹枝或竹子編成的籬笆錯落有致。橋頭路旁有個亭子，名“緣江路”。再過去就是武候祠了。祠前有一板橋跨溪而建，可以看到浣花溪的牌匾。橋那邊是一個小洲，像梭子一樣斜插在水中央，溪流環繞四周，沒有橋過不去。小洲上有個亭子，名叫“百花潭水”。從這個亭子過橋回來，經過梵安寺，就到了杜工部祠。塑像清秀古樸，並不追求形似，想來應該如此。

鍾子說，杜甫的兩個住處，浣花溪清靜深幽；東屯險峻深奧，各不相同。如果嚴武不死，杜甫可以在浣花溪安度晚年。一個人的遭際受朋友的影響，真是很大啊。天意使杜甫增加一段夔門的奇特經歷。窮困潦倒，四處奔走，仍然能挑選名勝居住，其胸襟的嚴謹與從容，令世人敬佩，與孔子當年落難時的情景差不多。

萬曆三十九年十月十七日，出城時天將下雨，不一會兒，天放晴。平日遊覽時，多有官員招待，車水馬龍，行禮客套，喧鬧得很，到了傍晚就趕快回去。這天清晨，我偶然獨自去了一次，作此記。

## 評析

浣花溪又名濯錦江，也叫百花潭，是成都郊外的一處風景名勝。本文是一篇遊記，描繪了浣花溪沿岸的秀麗景色。溪水碧綠清澈，溪流曲折蜿蜒，在茂密的樹林中時隱時現。小橋亭台，點綴溪中，紫門茅舍，坐落井然。古井而不顯荒涼，靜謐而不乏生氣。浣花溪不僅是風景優美的所在，還有豐富的人文景觀。作者一路行來，沿途有萬里橋、青羊宮、武侯祠、梵安寺、杜工部祠（即杜甫草堂）。杜甫草堂引起了作者的種種感慨。杜甫在坎坷遭際中保持從容的心態和博大的胸懷，對此作者由衷地敬慕。當年杜甫之所以有客居成都的這段經歷，是因為受到身任劍南節度使的朋友嚴武的照顧，嚴武死後，杜甫不得不離開了成都。作者由此想到，朋友對患難中的人一生經歷的影響真是舉足重輕，從而感歎不已。由懷古而思今，在文章末尾，作者表達了對一些達官顯貴遊覽浣花溪的情形的反感和鄙視。這些人由地方官招待吃喝，一番應酬奉承，匆匆來匆匆去，哪裏會去體味浣花溪的自然美和人文內涵呢？文章娓娓道來，內容豐富而又主次分明，層次清晰；文字既注意形象鮮明，又講究音韻節奏，是鍾惺散文中的佳作。

# 淨業寺[1]觀水記

王心一

長安[2]以水為奇遇，每坐對硯池盂水與天光相映，便欲飛身溟[3]海。一泐[4]洪流。而靜業寺在都城之北，面臨清波汪洋數十頃，兩涯之間，幾不辨牛馬。而一望鏡徹，直令人心一空；招提[5]金碧，與林木森疏，時時吞吐水練上，即此便是方丈、篷丘[6]。

予厭苦塵污[7]。一日，舍輿[8]循涯[9]而步，見有敗荷如蓋，餘香乘風，來撲人鼻。忽木魚[10]響歇，隔林笙[11]歌，隱隱出紅樓[12]中，覺耳根如洗；轉視昔時從馬驢間聽傳呼聲，頓隔人天。已而穿蘿尋徑，復有小築[13]，自為洞天；四顧竹樹，交加成帷，更為奇絕。予乘小酣[14]，暫憩[15]草裀[16]。爾時欲有題記，覺我寧作我，不可更著名言。頃則西山落日，斜掛樹杪，如輪如燭，返照水面矣。

歸來抱膝對硯池盂水，餘興欲勃，便欣然神往，遂漫為追次其事。倘他日乞得冷曹[17]，借吏隱閒身，再覓句以志[18]勝事，當不負此佳境也。

## 注釋

1. 淨業寺：寺廟名，在北京城北。
2. 長安：古都西安，此處代指北京。
3. 溟：海。

4. 溯：逆水而上。

5. 招提：梵語 caturdeśa，音譯為“拓鬥提奢”，省作“拓提”，後誤為“招提”，義為“四方”，成為寺院的別稱。

6. 方丈：傳說中的仙山名。

7. 污：臟垢。

8. 輿：車、轎。

9. 涯：水邊。

10. 木魚：木頭做成的魚頭形狀，用小槌敲擊發聲。本來是僧人唸經時用，後來用作一種打擊樂器。

11. 笙：一種簧管樂器。

12. 紅樓：古代指年女子的住處。

13. 小築：小巧的建築物，如亭榭、園門之類。

14. 酣：飲酒盡興。

15. 憩：休息。

16. 裀：墊子。

17. 冷曹：閒散、清閒的官職。

18. 志：記。

## 串講

在北京看到水是奇遇，每每坐在屋裏面對硯池、盂碗裏與陽光映照的水，便想飛身海上，投身洪流。淨業寺在都城的北面，面對着一片大水，清波蕩漾，面積有幾十頃，隔岸相望，幾乎辨不清牛馬。一眼望去，那水有如鏡子般明澈，簡直令人陶醉其中，萬念俱空。廟宇金碧輝煌，與水邊或密或疏的樹木一起，時時把倒影投在水面上，讓人感到這就是仙境中的蓬萊、方丈。

我厭煩鬧市的繁雜、污穢，並苦於難於擺脫。一天，我下車沿着水邊步行，看見有枯萎的荷葉浮在水面，餘香隨風飄來。忽然又聽見木魚聲一陣陣敲響，隔着樹林，歌聲隱隱約約從紅樓中傳出，頓覺耳目一新；回想平日在車水馬龍中聽到的喊叫聲，頓時覺得是另一個世界的事。過了一會兒，我穿過樹林找到一條小路，路旁有一些小巧的建築，自認為是洞天福地；四周都是翠竹綠樹，枝葉交錯像圍屏一樣，景色更是奇特絕妙。我乘着酒後微醉，在草地上作短暫的休息。那時本想寫題記，但覺得我寧願作我自己，不必另外再寫什麼名言。過了一會兒，西山的落日便斜掛在樹梢了，如圓盤，如燭光，晚霞照在水面上。

回來後抱膝面對硯池、盆盂的水，餘興未消，便心馳神往，追記下這天的觀感。如果以後得到一個清閒的職位，利用閒暇，再尋章擇句記錄今天的遊覽經歷，就不會辜負淨業寺的美好景色了。

## 評析

這是一篇遊記。中國的北方缺水，在城市裏，湖泊更是少見。見到家裏容器中的水便神馳江海、胸蕩激流，這是一種特殊的感受。這一方面表現出作者對水的酷愛，同時也反映了生活在城市裏的人們情感所受的局限和壓抑，忽然有一日來到偌大一片水跟前，怎能不產生極大的快慰呢？茂密的樹林、精巧的小屋、寺廟的金頂、紅牆在粼粼波光中忽隱忽現，木魚聲，聲聲入耳，荷花香，陣陣撲鼻。這一切似乎很平常，並沒有什麼、奇異之處，為什麼會產生置身蓬萊仙境的感受呢，正是觸景生情的緣故。鬧市中的人們，日復一日生活在喧囂與繁亂之中。而水是寧靜和清澈的，這寧靜和清澈與鬧市的嘈雜形成強烈的反差，為生計奔波的人們渴望這種清澈和寧靜卻無暇去享受。一旦身臨水邊，頓時感覺喧囂和煩惱都不存在了，怎能不使人陶醉其中、飄然欲仙呢？用“人心一空”來形容精神突然得到釋放和解脫的感覺，十分傳神。遠離滾滾紅塵，陶醉於寧靜清澈的水邊，這是多麼快意的情形。然而人們總是難以擺脫客觀環境的左右，不自覺地受社會角色的束縛。身居一官半職，就要案牘勞形，忙碌不已；是文人，面對美景，就該搜索枯腸，寫出些名句來。作者意識到了這一點，決心不落俗套，讓自己徹底放鬆一回，寧願為純粹的我，完全沉浸在無我、忘我的大自然中。這是此次觀水的最大收穫。雖然不一定留下妙句佳作，但對人生卻有頗多感悟。

# 三聖庵[1]

劉侗

德勝門[2]東，水田數百畝，溝洫[3]澮[4]川[5]上，堤柳行植，與畦[6]中秧稻分露同煙。春綠到夏，夏黃到秋。都人[7]望有時，望綠淺深，為春事淺深；望黃淺深，又為秋事淺深。望際[8]，聞歌有時；春插秧歌，聲疾以欲；夏桔槔[9]水歌，聲哀以囀；秋合酺[10]賽社[11]之樂歌，聲嘩以嘻。然不有秋[12]也，歲不輒聞也。

有台而亭[13]之，以極望，以遲[14]所聞者。三聖庵，背水田庵[15]焉。門前古木四，為近水也，柯[16]如青銅，亭亭。台庵之西。台下畝[17]，方廣如庵。豆有棚，瓜有架，綠且黃也，外與稻楊同候[18]。台上亭，曰"觀稻"，觀不直[19]稻也。畦隴之方方，林木之行行，梵宇[20]之廠廠[21]，雉堞[22]之凸凸，皆觀之。

## 注釋

1. 本篇選自《帝京景物略》。《帝京景物略》共八卷，作於崇禎八年（1635），內容是記述北京地區的園林寺觀、名勝古蹟、歲時習俗、陵墓祠宇等。三聖庵是北京北面的一個小廟。
2. 德勝門：北京內城北面靠西的一個城門。
3. 溝洫：田間的水溝。
4. 澮：原意指田間水溝，此處用作動詞，意為通達。
5. 川：河。

6. 畦：田裏用土埂分成的小塊地。

7. 都人：京城的人。

8. 際：時候。

9. 桔槔：一種在井上汲水的工具。

10. 合醢：聚會飲酒。

11. 賽社：舊時祭神活動。

12. 秋：此處意為莊稼成熟。

13. 亭：此處用作動詞，意為建亭。

14. 遲：等待。

15. 庵：用作動詞，建庵。

16. 柯：樹枝。

17. 畝：此處指水田。

18. 候：指植物隨時令節序變化的狀況。

19. 直：同“值”，遇上。

20. 梵宇：佛寺。

21. 廠廠：高高的樣子。

22. 雉堞：城牆上修築的呈凹凸形的矮牆，也叫女牆。

## 串講

德勝門往東，有水田數百畝，田間的水溝一直通到河裏，堤上的綠柳成行，和田裏的稻秧一樣雨露滋潤，共同被煙霧籠罩。春天，禾苗一片蔥綠，轉眼就是夏天，夏天，稻子轉黃，便到了秋天。京城的人們盼望豐收，盼望綠色由淺變深，便忙於春天的耕種；盼望黃色由淺變深，便忙於秋天的收穫。盼望豐收的時候，不同的季節可以聽到不同的歌聲：春天有插秧歌，節奏快速而音調舒婉；夏天有抽水歌，聲音悲淒而音調婉轉；秋天有迎神賽社、聚會飲酒的歌，聲音喧鬧而節奏歡快；

然而，如果收成不好，便很難聽到歌聲。

有一個亭子建在高台上，用以遠望，人們在那裏等待聽歌。三聖庵，背着水田而建。門前有四棵古樹，因為離水近的緣故，枝幹呈青銅色，高高聳立。高台在三聖庵的西邊，台下的水田，面積和三聖廟一樣大。田裏豆有棚、瓜有架，有綠有黃，它們生長、成熟的節令，和稻子、楊柳由綠變黃是同步的。高台上的亭子，名叫"觀稻亭"，觀察沒有跟上季節的稻子。田地方方正正，樹木排列成行，廟宇巍然聳立，城牆上的凹凸形矮牆，都可以看到。

## 評析

劉侗（約1593—約1636），字同人，號格庵，麻城（今湖北麻城）人。崇禎七年（1634）進士，任吳縣（今江蘇蘇州）知縣，卒於赴任途中。他是明末"竟陵派"中的重要作家。當生員時，因為"文奇"被人奏參，同譚元春等人受到"降職"處分。但他反而出了名。著有《龍井崖詩》、《雉草》，代表作是他和于奕正合撰的《帝京景物略》。

本文描寫北京郊區的田園風光和一年四季的農事活動。作者對勞動者的生活和情感很關注，很熟悉，所以寫來平實而生動。靠土地為生的人們年復一年滿懷希望地在田裏勞作，不同的季節忙着不同的活兒，唱着不同的歌。這些歌反映了他們的思想情感。他們觀賞田野景色也是和生計密切相關的。春天人們忙着耕種，盼望綠色由淺變深，"插秧歌"明快、活潑；夏天人們一邊抗旱一邊盼雨，"水歌"包含着無盡的期望與渴求；秋天莊稼黃熟，人們一年的辛勞和企盼有了結果，自然興奮非常。他們以各種方式慶祝豐收，那場面自然歡快而熱烈。作者在觀賞風景的同時，感受着田園生活的樂趣。還關注着農作物的長勢，傾聽着勞動者的歌聲，與民同憂同樂。文章描寫的是一片生機勃勃的農田景色，表達的是對勞動者的同情、關愛之心，所以文章讀來別有一番情趣。

# 水盡頭[1]

劉侗

觀音石閣而西，皆溪，溪皆泉之委[2]；皆石，石皆壁之餘。其南岸，皆竹，竹皆溪周而石依之。燕[3]故難竹，至此，林林畝畝。竹，丈始枝；筍，丈猶籜[4]；竹粉生於節。筍梢出於林，根鞭[5]出於籬，孫[6]大於母。

過隆教寺而又西，聞泉聲。泉流長而聲短焉，下流平也。花者，渠泉而役乎花；竹者，渠泉而役乎竹，不暇聲也。花竹未役，泉猶石泉矣。石罅[7]亂流，眾聲澌澌[8]，人踏石過，水珠漸衣。小魚折折[9]石縫間。聞跫音[10]則伏，於苴[11]於沙。

雜花水藻，山僧園叟不能名之。草至不可族[12]，客乃鬥以花，采采百步耳，互出，半不同者。然春之花尚不敵秋之柿葉，葉紫紫，實丹丹。風日流美，曉樹滿星，夕野皆火。香山[13]曰杏，仰山[14]曰梨，壽安山[15]曰柿也。

西上圜通寺[16]，望太和庵前，山中人指指水盡頭兒，泉所源也。至則磊磊中兩石角如坎，泉蓋從中出。鳥樹聲壯，泉喈喈[17]不可驟聞。坐久，始別，曰："彼鳥聲，彼樹聲，此泉聲也。"

又西上廣泉廢寺[18]，北半里，五華寺，然而遊者瞻臥佛[19]輒返，曰："臥佛無泉。"

## 注釋

1.《水盡頭》是《帝京景物略》中的一篇。水盡頭，溪水名，又名櫻桃溝，在北京西郊壽安山西麓。

2. 委：水的下流。

3. 燕：古國名，此處指北京。

4. 籜：筍殼，這裏用作動詞，帶着筍殼。

5. 根鞭：竹鞭，竹根形狀像鞭，所以叫竹鞭。

6. 孫：竹鞭末梢長的小竹，叫竹孫。

7. 罅：裂縫。

8. 澌澌：泉水流動的聲音。

9. 折折：安閒從容的樣子。

10. 跫音：腳步聲。

11. 苴：水草。

12. 族：種類，此處用作動詞，分類。

13. 香山：在北京西北郊。

14. 仰山：在北京西郊。

15. 壽安山：在北京西郊。

16. 圓通寺：古佛寺名。

17. 喈喈：形容泉水的聲音。

18. 廣泉廢寺：北京西山的一處古廟遺址。

19. 臥佛：臥佛銅像。水盡頭附近有臥佛寺，寺中有元代的銅製臥佛。

## 串講

觀音石閣以西，都是小溪，這些溪水都是山泉的下流，到處都是山石，這些石頭都是陡峭的山崖的殘餘。在溪流的南岸，全是竹子，竹子都沿着溪流、倚靠着山石生長。燕地過去很難生長竹子，但這裏的竹子卻是一片片、一叢叢，茂盛繁

清溪漁隱圖卷 （南宋・李唐繪）

多。這些竹子，長到一丈高才開始分枝；竹筍長到一丈高還帶着竹殼；竹粉長在竹節處，竹筍的尖端高於竹林，竹鞭旁出別生，竹孫比它的根母還茁壯。

過了隆教寺再往西走，便聽到泉水聲。泉流很長而水流聲低咽，因為它的下流地勢平坦。山花，由泉水通過水渠灌溉；竹林，由泉水通過水渠去浸潤，所以泉流顧不得發出聲響了。在沒有花竹可澆的地方，泉便仍然是流淌在積石中的泉。在積石的縫隙中泉水毫無規則地流淌，發出一片澌澌聲，人從石上走過，水珠會浸濕衣服。小魚在石縫間從容地游動，聽見人的腳步聲就躲在水草下或者沙石中。

各種山花和水藻，即使是山中的僧人和種園的老翁也不能叫出名稱。草多到無法分清類別，有的遊人以比賽知道的花名作遊戲，僅百步之遙的範圍內，各種花草交相出現，多半是不相同的。然而春天的花還比不過秋天的柿葉，柿葉紫紫的，果實紅紅的。風和日麗的早晨，樹上有如掛滿了星星，黃昏的山野，像是燃起了大火。香山的杏出名，仰山的梨出名，壽安山的柿子出名。

西上園通寺，遠望太和庵前，山中人所指的水盡頭兒，就是泉水的源頭。走到跟前一看，一片積石中，兩塊石頭邊有個坑穴，泉水就是從那裏面湧出來的。那裏鳥鳴聲、風中樹木枝葉的響聲很大，泉流的聲音不能馬上聽到。坐的時間久了，才能分辨出來，說：“那是鳥聲，那是樹聲，這是泉水流淌的聲音。”

再往西上廣泉寺的舊址，往北走半里，就到了五華寺，然而遊人瞻仰了臥佛寺就返回了，說：“臥佛寺沒有泉水。”

## 評析

北京的老地名中，有不少含義頗有情趣，如水盡頭、芳草地，連胡同的名字也有叫百花深處的。北京話裏，盡頭兒不是指末尾、終點，而是開端、開始的意思。水盡頭兒就是溪流的源頭。本文詳細描繪了名為水盡頭的那個地方的景物，令人陶醉。從地名可知，此地以水為勝，所以本文着力多角度、多層面地描寫泉水。竹子喜歡生長在水源充沛、空氣濕潤的地方，所以在多雨的南方常見，而在乾旱的北方卻難得見到成片的竹子。在水盡頭，大片的竹林能夠生長得那麼茁壯、茂盛，是因為縱橫的溪流營造出非常適合翠竹生長的小氣候。不僅竹子繁盛，那裏花草的種類也多得連山中僧人和老農都叫不全它們的名字。接着由景色寫到物產，柿子在這裏是最出名的，所以這裏與別處不同，春天的繁花似錦遠沒有秋天的柿葉如火壯麗迷人。作者筆下的自然景物都是有靈性的，那溪流像園丁一樣忙着澆灌竹子和花草，顧不得嘻鬧歌唱、發出聲響；那石縫中小魚一會兒往東，一會兒往西，彷彿在和遊人捉迷藏。自然萬物呈現出一派生機，引得遊人忍不住要去探尋滋潤這一方土地的水的源頭。坐在泉水湧出的水盡頭，在鳥鳴聲、風吹樹葉的沙沙聲中，細細分辨、傾聽潺潺的流水聲，真是情趣盎然。

# 柳敬亭說書[1]

張岱

南京柳麻子，黧[2]黑，滿面疤癗[3]，悠悠忽忽，土木形骸[4]。善說書，一日說書一回，定價一兩，十日前送書帕[5]下定，常不得空。南京一時有兩行情人[6]，王月生[7]、柳麻子是也。

余聽其說景陽岡武松打虎白文[8]，與本傳[9]大異。其描寫刻畫。微入毫髮，然又找[10]截[11]乾淨，並不嘮叨哱夬[12]。聲如巨鐘，說至筋節外，叱咤[13]叫喊，洶洶崩屋。武松到店沽[14]酒，店內無人，驀地[15]一吼，店中空缸空甓[16]皆甕甕有聲。閒中著色，細微至此。

主人必屏息靜坐，傾耳聽之，彼方掉舌[17]。稍見下人呫嗶[18]耳語，聽者欠身有倦色，輒不言，故不得強[19]。每至丙夜[20]，拭桌剪燈，素瓷靜遞，款款[21]言之，其疾徐輕重，吞吐抑揚，入情入理，入筋入骨。摘[22]世上說書之耳而使之諦聽[23]，不怕其齰舌[24]死也。

柳麻子貌奇醜，然其口角波俏[25]，眼目流利，衣服恬靜，直與王月生同其婉孌[26]，故其行情正等。

## 注釋

1. 柳敬亭：原名曹逢春，明末清初著名說書藝人。本篇選自張岱《陶庵夢憶》卷五。

2. 黧：黑裏帶黃。

3. 瘤：皮膚上的小疙瘩。

4. 土木形骸：形體像泥塑木雕般呆板。

5. 書帕：指酬金。

6. 行情人：受聽眾歡迎的著名藝人。

7. 王月生：當時著名歌妓。

8. 白文：說書分大書，小書兩種，大書只說不唱，小書有說有唱，重點在唱。白文指大書。

9. 本傳：指小說《水滸傳》中武松打虎故事。

10. 找：對不足的地方加以補充。

11. 截：刪去冗長的部分。

12. 嘞夬：雜亂無章。

13. 叱咤：大聲喊叫。

14. 沽：買酒。

15. 驀地：突然。

16. 甓：一種陶器。

17. 掉舌：開口說書。

18. 呫嗶：低聲說話。

19. 強：勉強。

20. 丙夜：半夜三更時。

21. 款款：慢慢地。

22. 摘：集中。

23. 諦聽：仔細聽。

24. 齰舌：咬舌。此處形容口舌生硬，學不像。

25. 波俏：風趣。

26. 婉孌：美好。

## 串講

南京的柳麻子，皮膚黃黑，滿臉都是疙瘩，看上去閒散隨便，如泥塑木雕般呆板。擅長說書，一天說書一回，定價是一兩銀子，十天前送銀子去預定，常常沒有空閒。南京當時有兩個走紅的藝人，一個是王月生，一個是柳麻子。

我聽他說景陽岡武松打虎評書，與小說中故事很不一樣。評書中對人物情境的描寫刻畫極為細膩，然而又不拖泥帶水，該補充的或該簡略的地方恰到好處。他說書聲如洪鐘，說到關鍵的地方，高聲喊叫，聲音迴盪在屋中，似乎會震塌屋子。說武松到酒店買酒，店中沒有人，突然一吼，店中的空缸空罎子都發出甕甕的迴音。在細節處着力描繪，細微到這種程度。

聽眾必須注意力集中，安靜地坐好，認真聽他說書。他開口說書時，只要見聽眾中稍有人低聲耳語，有人伸懶腰有倦意，就不講了，不能勉強。每到半夜，擦好桌子，剪好燈芯，潔白雅緻的瓷杯遞給他，他慢條斯理，從容不迫地講述。他的語調的輕重緩急，抑揚頓挫都合情合理，有很強的感染力。讓天下的說書人都來聽，恐怕都會因學不像而氣死。

柳麻子相貌奇醜，然而他談吐風趣，眼目傳神，衣着素雅，與王月生一樣有魅力，所以他們受觀眾歡迎的程度是相等的。

## 評析

張岱（1597－1689）字宗子，又字石公，號陶庵，又號蝶庵，山陰（今浙江紹興）人。他出生於一個纍世通顯的官僚家庭，從小到大，服食豪侈，盡享榮華，但始終沒有作過官。

明亡後，他中年已過，家道敗落，意緒蒼涼，隱居剡溪臥龍山，著書自遣。他的著作甚豐，最能代表其文學成就的是他的小品文，語言簡潔，形象鮮明，富有詩意。

文章介紹當時一位著名評書藝人的高超技藝和非凡的才華。從表面上看，他貌不出眾，與人們心目中的藝術家似乎相距甚遠，但其酬金不菲以及如想看其演出需提前預定，都說明他極受歡迎。接着作者以切身體會來刻畫這位藝人傑出的表演才能。以人們非常熟悉的武松打虎的故事為例，藝人並不拘泥於原著，而是根據評書藝術表現的需要，增加了許多小說中沒有的細節來加強表現力。這得有膽量，更得有功力。只有對原著、對評書的藝術特點和聽眾的欣賞情趣都有深刻的理解和把握，才能恰到好處地做到這一點。這位藝人非常注重細節處理，着力通過聽覺效果去打動觀眾。他要求聽眾屏息靜坐，有人略微顯露出倦意或走神，便立刻打住，這顯出他很有個性特點。一方面他對自己藝術才華有充分的自信，相信有能力牢牢地抓住觀眾；另方面也是對自己勞動的極度自尊。假如有人不感興趣，他就不願再勞神費力地白忙活了。作者顯然深受評書藝人卓越技藝的感染，對他的評價用了很多細節：聲震屋瓦的嗓音，伶

瞎子說唱圖軸 （清・金廷標繪）

俐超群的口齒，語言表達藝術在這裏達到了爐火純青、登峰造極的程度。入情入理，入筋入骨，這八個字形象地概括了觀眾心悅誠服、為精湛的評書藝術所打動的感受。文中開頭和結尾兩次將這位評書藝人與當時走紅的另一位容貌美麗的藝人相提並論，其中很有深意。這位評書藝人雖然相貌醜陋，但充分發揮自己的特長，憑着對藝術作品的深刻領悟和卓越的才華，成為了一代評書藝術大師。藝術的真諦究竟是什麼？讀者不難從文章中找到答案。

# 彭天錫串戲[1]

張岱

彭天錫串戲妙天下。然齣齣[2]皆有傳頭[3]，未嘗一字杜撰[4]。曾以一齣戲，延[5]其人至家，費數十金者，家業十萬，緣[6]手而盡。三春[7]多在西湖[8]，曾五至紹興[9]，到余[10]家串戲五六十場，而窮[11]其技[12]不盡。天錫多扮[13]丑淨[14]，千古之奸雄佞幸[15]，經天錫之心肝而愈狠，借天錫之面目而愈刁，出天錫之口角[16]而愈險。設身處地，恐紂[17]之惡不如是之甚也！皺眉視眼，實實腹中有劍，笑裏有刀，鬼氣殺機，陰森可畏。蓋天錫一肚皮書史，一肚皮山川，一肚皮機械[18]，一肚皮磥砢[19]。一平之氣，無地發洩，特於是發洩之耳。余嘗見一齣好戲，恨不得法錦包裹，傳之不朽；嘗比之天上一夜好月，與得火候一杯好茶，只可供一刻受用，其實珍惜之不盡也。桓子野[20]見山水佳處，輒呼"奈何！奈何！"真有無可奈何者，口說不出。

## 注釋

1. 本篇選自張岱《陶庵夢憶》卷六。彭天錫，明末戲曲藝人，江蘇金壇人，本為富家子弟。串，表演，串戲即演戲。
2. 齣：戲曲的一個段落稱為一齣，近似於西方戲劇的一幕，可單獨上演。

3. 傳頭：指正宗師傳。
4. 杜撰：生造。
5. 延：聘請。
6. 緣：憑藉。
7. 三春：春季三個月，也單指春季的第三個月，即農曆三月，此處指春天。
8. 西湖：今杭州西湖。
9. 紹興：今浙江紹興。
10. 余：我。
11. 窮：完、盡。
12. 技：技巧、技術。
13. 扮：扮演。
14. 丑淨：丑和淨是戲曲表演的兩個重要行當，在早期戲曲表演中，淨丑不分，明代的昆曲表演中，淨丑已有分工。此處主要指淨這個行當，扮演奸雄曹操、權奸高俅一類人物。
15. 佞幸：奸臣。
16. 口角：爭吵，此處指戲曲道白。
17. 紂：商朝的最後一個君主，歷史上有名的暴君。
18. 機械：此處指智謀，工於心計。
19. 磥砢：磥同磊，磥砢，很多石頭聚在一起。
20. 桓子野：桓伊，東晉人，字叔夏，小字子野。

## 串講

彭天錫演戲，其演技的絕妙天下無人能比。他的每齣戲都出自正宗師傳，一腔一字都不隨意改動。他曾經為了學一齣戲，請師傅到他家教戲，付給師傅報酬數十金，他有很大的家業，為了學戲花費殆盡。春天，他多半在西湖，曾經五次到紹興。他到我家演戲五、六十場，其技巧都沒有表演完。天錫多半扮演丑淨行的角色，千古的奸雄佞臣，經過天錫用心去表現而更加狠毒，借天錫的表情去刻畫而更加刁鑽，經天錫的道白一描寫而更加陰險。設身處地地設想，恐怕紂的兇惡，也不如他表演的那麼刻毒，那麼淋漓盡致！他一皺眉，一瞪眼，就表現出腹中有劍，笑裏藏刀，心懷鬼胎，暗藏殺機，陰森可怕。天錫見多識廣，有一肚子詩書，一肚子山川，一肚子智謀，一肚子不平之氣，無處表現，無地宣洩，特別從他的戲曲表演中發洩出來。我曾經看了一齣好戲，恨不得使法術用錦緞把它包裹起來，讓它流傳後世；我曾經把一齣戲比作天上的一夜好月，比作火候正好的一杯好茶，只能供一時欣賞，其實是欣賞不夠的。桓子野看到美麗的山水風光，便說："奈何！奈何！"真是有無可奈何的感覺，難以言傳。

升平署戲曲人物畫

## 評析

文章描寫一位戲劇表演藝術家的演技和為人，流露出讚賞與欽佩之情。這位藝術家與一般的藝人有很大的不同，他學戲、演戲不僅是為了謀生。他書讀得很多，閱歷豐富，足智多謀，看清了人情冷暖，悟透了世態炎涼。憤世嫉俗者中，有的人借酒澆胸中之塊壘，有的人以筆寫心中的不平。而本文主人公卻用了獨特的方式——演戲，來表達他的情感和見解。戲劇這種藝術形式，可以相對直觀地表現社會生活，形象地刻畫人物內心活動，誇張地宣洩情感。他扮演的幾乎全是歷史上的昏君和奸臣，他把這些人的狡詐、陰險、毒辣表現得淋漓盡致。為了學戲，他不惜重金聘請名師到家裏，一腔一調，一招一式都不馬虎。這當是出於對戲劇的酷愛，也是對觀眾的尊重。他力求讓觀眾在欣賞戲劇藝術的同時，產生感情上的強烈共鳴。通過作者的描寫，可以看出彭天錫的演技達到了精湛絕倫的地步。正是因為他對人生的深刻理解和對藝術真諦的刻苦追求，才給觀眾留下難以磨滅的印象。作者歎息無法保留這精湛的藝術，恨不能有個錦囊將其包裹起來，以留給後世。在今天，這不成問題，可是在當時的科技條件下，只能慨歎奈何奈何。

# 湖心亭看雪

張岱

崇禎五年[1]十二月，余住西湖。大雪三日，湖中人鳥聲俱絕。

是日，更定[2]矣，余拏[3]一小舟，擁毳[4]衣爐火，獨往湖心亭看雪。霧凇沆碭[5]，天與雲與山與水，上下一白。湖上影子，惟長堤[6]一痕，湖心亭一點，與余舟一芥[7]，舟中人兩三粒而已。

到亭上，有兩人鋪氈對坐，一童子燒酒，爐正沸。見余大喜，曰："湖中焉得更有此人？"拉余同飲。余強飲三大白[8]而別。問其姓氏，是金陵人，客此。

及下船，舟子[9]喃喃曰："莫說相公癡，更有癡似相公者。"

## 注釋

1. 崇禎五年：公元1632年。
2. 更定：古時一夜分為五更，一更約二個小時，晚上八點左右初更開始，稱為更定。
3. 拏：即拿。此處意為僱舟坐船。
4. 毳：鳥獸的細毛。
5. 沆碭：白氣瀰漫的樣子。
6. 長堤：指西湖中的白堤。
7. 芥：小草。引申指微小的事物。

8. 大白：大酒杯。

9. 舟子：船夫。

## 串講

崇禎五年十二月，我住在西湖。下了三天大雪，湖上靜寂一片，人聲鳥聲俱無。這天，初更時分，我乘一條小船，圍裹着毛衣，烤着爐火，獨自去湖心亭看雪。霧氣迷濛，天和雲和山和水，上下一片白色，湖上的影子，看上去只白堤有一道痕跡、湖心亭像一個黑點，我的船如同一棵小草，船上的人像兩三個小小的顆粒。

到了亭子上，見有兩個人對面坐在氈子上，一個小童正在煮酒，爐火很旺。他們見到我，高興極了，說湖上居然還有這個人，拉我一起喝酒。我勉強喝了三大杯，然後告辭。問了姓名，知道是南京人。

下船的時候，船夫喃喃地說，別說先生癡迷，竟然還有像先生你一樣癡迷的人呢。

## 評析

文中所說的湖心亭在杭州西湖中。大雪三天，冒着酷寒賞雪的人不多，夜裏到湖上去看雪的人就更少了。西湖雪夜，萬籟無聲，上下一白。惟有“一痕”、“一點”、“一芥”、“兩三粒”，點綴在這片晶瑩雪白中。這種景色描繪頗像一幅淡雅的水墨畫。接着寫作者意外地與另一賞雪者相遇、共飲，增添了賞雪的興味和快樂。舟子說他們都是“癡”，卻正道出了作者對大自然的摯愛。本文是張岱小品文中“短雋有味”的典範之作。

# 水明廊[1]

祁彪佳

園以藏山，所貴者反在於水。自泛舟及園，以為水之事盡；迨[2]循廊而西，曲沼[3]澄[4]泓[5]，繞出青林之下。主與客似從琉璃[6]國而來，鬚眉若浣[7]，衣袖皆濕，因憶老杜“殘夜水明”句[8]。以廊代樓，未識少陵[9]首肯否？

## 注釋

1. 本篇選自祁彪佳《寓山注》，這是作者記述他的私人園林——寓山園景物的一部書。
2. 迨：等到。
3. 沼：水池。
4. 澄：水清澈。
5. 泓：水廣而深。
6. 琉璃：可指一種有色半透明的玉石，也可指玻璃等，古代詩文中常用以比喻晶瑩碧透之物。
7. 浣：洗。
8. 老杜：杜甫，杜甫《月》詩中寫道：“四更山吐月，殘夜水明樓”。
9. 少陵：指杜甫。

## 串講

園林中必須有山，但可貴的反而是水。我和客人划一隻小船到了園裏，以為已經到了水的盡頭，等到沿着長廊往西，又看到彎彎曲曲的池水清澈寬廣，我們便從鬱鬱蔥蔥的樹林間繞出來。再看看主人與客人像是從琉璃國來，鬍鬚眉毛都像洗過一樣，衣袖也濕了，因而想起杜甫“殘夜水明”的詩句。我以廊代替樓，不知道杜甫同意不同意？

## 評析

這篇短文表現了作者對園林中水景的喜愛。對遊覽中所見所感的描寫，給人以身臨其境之感。小船盪漾到植被茂密的溪流幽深之處，還以為到了水路的盡頭，忽然前面又現出一大片寬闊清澈的水面，真是山重水複疑無路，柳暗花明又一村。穿行在伸展到水面的灌木叢中，水汽潤澤，纖塵不起。不僅鬚眉如洗，衣袖皆濕，而且彷彿世間的塵囂也為之一掃，心靈也彷彿被淨化，讓人頓覺神清氣爽。豁然開朗，清爽寧靜，這種種內心的愉悅，不由讓人浮想聯翩，古代詩人的名句，雖然情景可能不一樣，意境總該是差不多的吧。

# 五人墓碑記

張溥

五人者，蓋當蓼洲周公[1]之被逮，激於義而死焉者也。至於今，郡[2]之賢士大夫請於當道，即除逆閹廢祠之址以葬之，[3]且立石於其墓之門，以旌[4]其所為。嗚呼，亦盛矣哉！

夫五人之死，去今之墓而葬焉，其為時止十有一月爾。夫十有一月之中，凡富貴之子，慷慨得志之徒，其疾病而死，死而堙沒不足道者，亦已眾矣，況草野之無聞者歟？獨五人之皦皦[5]，何也？

予猶記周公之被逮，在丁卯三月之望。[6]吾社[7]之行為士先者，為之聲義，斂資財以送其行，哭聲震動天地。緹騎[8]按劍而前，問："誰為哀者？"眾不能堪，抶而仆之。[9]是時以大中丞撫吳者[10]，為魏之私人，周公之逮所由使也。吳之民方痛心焉，於是乘其厲聲以呵，則噪而相逐，中丞匿於溷藩[11]以免。既而以吳民之亂請於朝，按誅五人，曰顏佩韋、楊念如、馬傑、沈揚、周文元，即今之傫然[12]在墓者也。然五人之當刑也，意氣揚揚，呼中丞之名而詈[13]之，談笑以死。斷頭置城上，顏色不少變。有賢士大夫發五十金，買五人之脰[14]而函之，卒與屍合。故今之墓中，全乎為五人也。

嗟乎！大閹之亂，縉紳[15]而能不易其志者，四海之大，有幾人歟？而五人生於編伍[16]之間，素不聞詩書之訓，激昂大義，蹈死不顧，亦曷故哉？且矯詔[17]紛出，鉤黨之捕遍於天下，卒以吾郡之發憤一擊，不敢復有株治。大閹亦逡巡[18]畏義，非常之謀，難於猝發。待聖人[19]之出而投繯道路[20]，不可謂非五人之力也。

由是觀之，則今之高爵顯位，一旦抵罪，或脫身以逃，不能容於遠近，而又有剪髮杜門，佯狂不知所之者，其辱人賤行，視五人之死，輕重固何如哉？是以蓼洲周公，忠義暴[21]於朝廷，贈諡[22]美顯，榮於身後。而五人亦得以加其土封[23]，列其姓名於大堤之上，凡四方之士，無有不過而拜且泣者，斯固百世之遇也。不然，令五人者保其首領，以老於戶牖[24]之下，則盡其天年，人皆得以隸使之，安能屈豪傑之流，扼腕墓道，發其志士之悲哉？故予與同社諸君子，哀斯墓之徒有其石[25]也，而為之記，亦以明死生之大，匹夫之有重於社稷也。

賢士大夫者，冏卿因之吳公[26]、太史文起文公[27]、孟長姚公也[28]。

## 注釋

1. 蓼洲周公：周順昌，字景文，號蓼洲，明萬曆年間進士，曾任福州推官、吏部主事、文選員外郎，後辭官家居。因反對魏忠賢專權而被捕，入京後下獄，受酷刑死於獄中。

2. 郡：吳郡，指當時蘇州府，今江蘇省蘇州市。

3. 逆閹：指魏忠賢。明熹宗時任司禮監秉筆太監。閹，對太監的貶稱。廢祠：魏忠賢的黨羽曾在各地為他建生祠，魏敗後均廢棄。

4. 旌：表彰。

5. 皦皦：同“皎皎”，明亮、顯耀。

6. 丁卯：天啟七年（1627）。據《明史》記載，周順昌被捕是在天啟六年（丙寅）三月。文中當係作者誤記。望：農曆每月十五日。

7. 吾社：指復社。

8. 緹騎：抓捕罪犯的差役。

9. 抶：用鞭子打。仆：倒在地上，跌倒。

10. 以大中丞撫吳者：以大中丞的官銜擔任吳地巡撫的人。中丞，官名，都察院的副都御史。當時的應天巡撫是毛一鷺。

11. 匿於溷藩：藏在廁所。

12. 傫然：形容重迭堆積。

13. 詈：罵。

14. 脰：頸項，此處指頭。

15. 縉紳：插笏於紳帶間。這是舊時官員的裝束，亦借指士大夫。縉，插。紳，衣帶。

16. 編伍：指平民。古代戶籍編制，五戶為一伍。五人中，顏佩韋為商人之子，無職業，楊念如開賣衣舖，馬傑是無業市民，沈揚是牙行的中人，周文元是周順昌的轎夫，均為平民。

17. 矯詔：假借皇帝的名義發出詔書。

18. 逡巡：欲進不進、遲疑不決的樣子。

19. 聖人：指明思宗朱由檢。

20. 投繯道路：朱由檢於天啟七年八月即位，十一月開始打擊魏黨。魏忠賢被貶往鳳陽看守皇陵，行至今河北阜城，自縊而死。繯，同“環”，繩圈。

21. 暴：顯露。

22. 謚：古代帝王或官僚死後給予的稱號。崇禎年間朝廷給周順昌的謚號是“忠介”。

23. 土封：積土為墳，指埋葬。

24. 戶牖：門窗。指自己家裏。

25. 徒有其石：只有碑石，沒有碑文。

26. 冏卿：太僕寺卿又稱冏卿。因之吳公：吳默，字因之，官太僕少卿。

27. 太史：即翰林。文起文公：文震孟，字文起，曾任翰林院修撰。

28. 孟長姚公：姚希孟，字孟長，曾任翰林院檢討。

## 串講

這五個人是在周順昌被抓時激於義憤、為抗議奸逆而死的。到現在，當地的士大夫在廢除了的魏忠賢生祠的原址安葬五人，並在墓門立石碑，以表彰他們的英勇行為。儀式非常隆重。

五義士從死到安葬，整整過去了十一個月。在這十一個月中，大富大貴、春風得意的人裏面有多少因病而死掉的，根本沒有人知曉，更何況普通默默無聞的市民了。而這五人卻聲名赫赫，這是為什麼呢？

我還記得當周公被捕時，復社的士子為其聲張正義，百姓募捐為其送行。哭泣聲震天動地。官府的差役前來干涉。吳地巡撫是魏忠賢一黨，周公被捕就是他指使的。民眾義憤填膺，群起而攻之，巡撫躲到廁所裏才得以脫身。後來他以當地民眾造反為由報告朝廷，殺了五義士，就是現在葬在墓中的五人，他們是：顏佩韋、楊念如、馬傑、沈揚、周文元。臨刑時五人直呼中丞的名字，厲聲指斥，面不改色，慷慨就義。有士大夫花重金買下五人的頭與屍體葬在一處，墓中的五人的屍身是完整的。

奸臣當道的時候，官員中能夠保持正義感的，全國上下能有幾人？而五人出身平民，平日並沒有從詩書中獲得多少教益，卻能大義凜然，視死如歸，是何緣故呢？見到假的聖旨連連發出，奸臣公然打擊異己，我們這裏的民眾奮勇抗爭，使得奸黨不能不有所收斂，詭計不能得逞，直到明主即位，禍首自殺，不能說沒有五人的力量。

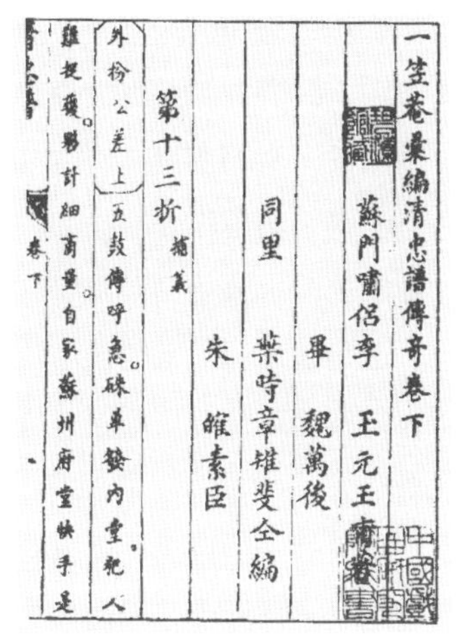
一笠菴彙編清忠譜傳奇卷下
蘇門嘯侶李　玉元玉甫著
畢　魏萬後
同里　葉時章雉斐仝編
朱　㿥素臣
第十三折　捕義
外扮公差上　五鼓傳呼急。硃單發內堂。拘人難捉獲。影計細商量。自家蘇州府堂快手是
清忠譜　卷下

清順治刊本李玉《清忠譜》書影

由此看來，如今身居高位的人，一旦案發，或逃跑，或裝瘋，和五人慷慨赴死相比，不是有高下之別嗎？周公受到朝廷的追封，身後榮顯。五人也得以安葬。名姓刻於石碑，四方過往的人敬佩無比，視為豪傑，流芳百世。假若五人在家中平安度過一生，又怎能讓豪傑敬佩、在其墓前感慨萬端呢？於是我和復社諸君子，感嘆這墓光有石碑而沒有碑文。寫下本文，以此說明生死的意義，一介匹夫也可有益於江山社稷。

## 評析

張溥（1602－1641）字天如，號西銘，蘇州太倉（今江蘇太倉）人。自幼勤奮學習，所讀書必抄錄六、七遍以加深印象，故其書齋以“七錄”名之。崇禎四年進士，選翰林院庶吉士。參與組織復社，意在“興復古學”，“務為有用”，革除弊政，一時間聲震朝野。他是明末著名的散文家，其散文風格凝重剛健，激昂慷慨。

明熹宗天啟年間（1621—1627），宦官魏忠賢擅權，實行專制統治，政治腐敗黑暗。當時的反對派東林黨主張改良政治、遭到魏忠賢一黨的殘酷鎮壓。天啟六年（1626），魏忠賢派人到蘇州逮捕前吏部官員周順昌，蘇州市民本來已對魏黨的殘暴統治十分痛恨，以此為契機，暴發了聲勢浩大的市民暴動。市民們一呼百應，衝入官衙，打死一名旗尉。事後，官府追查此事，顏佩韋、楊念如、馬傑、沈揚、周文元五人為了保護眾人，挺身投案，遂以“倡亂”罪名被殺。第二年，魏忠賢事敗，蘇州市民集資安葬了五人，並為之樹碑。本文即記述此事。文中表達了作者對五位“素不聞詩書之訓”的市井人物所表現出來的昂然正氣的敬佩，也表現了對他們“蹈死不顧”，“談笑以死”的無私無畏精神氣度的讚揚。文章中將五位市民領袖與“高爵顯位”及“縉紳”們相比，指出這些人飽讀詩書，卻是道貌岸然，虛偽冷酷。同時也肯定了市民暴動在朝廷撥亂反正中起到的作用。這五位市民領袖死得其所，他們雖為一介匹夫卻“有重於社稷”，為後人景仰。文章寫得激情澎湃，因而得以廣泛流傳。明末清初劇作家李玉的《清忠譜》是描寫這一事件的著名劇作。

# 獄中上母書

夏完淳

不孝完淳今日死矣，以身殉父，不得以身報母矣！

痛自嚴君見背，[1]兩易春秋[2]，冤酷至深，艱辛歷盡，本圖復見天日，以報大仇，恤死榮生，告成黃土[3]，奈天不佑我，鍾虐先朝[4]，一旅才興，便成齏粉。去年之舉，淳已自分必死，誰知不死，死於今日也。斤斤延此二年之命，菽水之養[5]，無一日焉。致慈君託跡於空門，[6]生母[7]寄生於別姓。一門漂泊，生不得相依，死不得相問。淳今日又溘然先從九京[8]，不孝之罪，上通於天。嗚呼！雙慈在堂，下有妹女，門祚衰薄，終鮮[9]兄弟。淳一死不足惜，哀哀八口，何以為生？

雖然已矣，淳之身父之所遺，淳之身君之所用，為父為君，死亦何負於雙慈？但慈君推乾就濕[10]，教禮習詩，十五年如一日；嫡母慈惠，千古所難。大恩未酬，令人痛絕。慈君托之義融女兄[11]，生母托之昭南女弟[12]。淳死之後，新婦[13]遺腹得雄，便以為家門之幸，如其不然，萬勿置後[14]。會稽大望[15]，至今而零極矣，節義文章如我父子者，幾個哉？立一不肖後，如西銘先生[16]為人所詬笑，何如不立之為愈耶？

嗚呼！大造茫茫，總歸無後，有一日中興再造，則廟食千秋，豈止麥飯豚蹄不為餒鬼而已哉！若有妄言立後者，淳且與先文忠在冥冥誅殛頑嚚，[17]決不肯舍！兵戈天地，淳死後，亂且未有定期，雙慈善保玉體，無以淳為念。二十年後，淳且與先文忠為北塞之舉[18]矣。勿悲，勿悲，相託之言，慎勿相負！

武功甥[19]將來大器，家事盡以委之。寒食盂蘭，[20]一杯清酒，一盞寒燈，不至作若敖之鬼[21]，則吾願畢矣。新婦結褵[22]二年，賢孝素著，武功甥好為我善待之，亦武功渭陽情[23]也。

語無倫次，將死言善。痛哉，痛哉！

人生孰不死，貴得死所耳！父得為忠臣，子得為孝子，含笑歸太虛[24]，了我分內事。大道本無生，視身若敝屣，但為氣所激，緣悟天人理。惡夢十七年，報仇在來世。神遊天地間，可以無愧矣！

## 注釋

1. 嚴君：父親。見背：去世。
2. 兩易春秋：已經兩年。
3. 告成黃土：到父親墳前去報告成功的消息。
4. 鍾虐先朝：意謂降災禍於明朝。鍾，集中。虐，災禍。
5. 菽水之養：指晚輩對長輩的供養。菽水，豆和湯。
6. 慈君：母親。指夏允彝的正室盛氏。空門：指佛寺。夏允彝死後，盛氏削髮為尼。
7. 生母：作者的生母陸氏。陸氏是夏允彝的側室，夏死後，陸氏寄居在親戚家中。

8. 九京：猶言九泉，指地下。

9. 鮮：少。

10. 推乾就濕：推讓方便，承擔困苦。形容母親撫育子女的辛勞。

11. 女兄：姐姐。

12. 女弟：妹妹。

13. 新婦：作者的妻子錢秦篆，結婚剛兩年。

14. 置後：將別人的孩子立為後嗣。

15. 會稽大望：會稽的大族，指夏姓族。作者的家鄉華亭縣古時屬會稽郡。

16. 西銘先生：張溥，號西銘，無子，死後族人為他立嗣子。

17. 先文忠：作者死去的父親夏允彝。夏允彝死後謚號文忠。殛：殺死。頑嚚：愚蠢而頑固的人。

18. 北塞之舉：出師北伐，把清軍驅逐出北方邊界。

19. 武功甥：作者的外甥侯檠，字武功。

20. 寒食：寒食節，在清明節前一至兩天。盂蘭：指盂蘭節，舊俗於農曆七月十五日舉行盂蘭盆會，超度亡靈，是民間超度先人的節日。

21. 若敖之鬼：指絕嗣。若敖，複姓。《左傳．宣公四年》載，楚國令尹子文是若敖氏的後代，擔心其姪子越椒會使若敖氏滅宗，臨死時聚其族人泣曰：“鬼猶求食，若敖氏之鬼不其餒而？”後若敖氏終因子越椒滅絕。

22. 結褵：女子出嫁。褵是古代女子的佩巾。

23. 渭陽情：指甥舅的情誼。春秋時，晉國公子重耳逃亡，秦穆公接納了他。重耳是太子秦康公的舅父，當重耳回國時，秦康公送到渭水之陽，作詩為《渭陽》。

24. 太虛：天。

## 串講

不孝的兒子完淳如今將要赴死，以身殉父，卻無法報答母親了。

父親去世已經兩年，這期間國難日益深重。原想光復前朝，報仇雪恨，以成功的消息告慰九泉之下的父親。怎奈天不保佑我們，把災禍降給明朝。剛剛組建的一支隊伍，便遭到毀滅。去年的事，我料定必死。誰知沒死，死期在今天。報答母親養育之恩的機會一直沒有。我們一家漂泊四散，大母出家為尼，生母寄居在親戚家。生者不能互相倚靠，死了也無法祭奠，我不孝的罪過真是太大了。家中只有母親和姐妹，缺少兄弟，我死了不足惜，可憐一家八口如何生存呢？

既使一切都已完結，我的身命是父親給予，為國家所用，為了父親、為了國家，我死了也並沒有辜負母親。但是母親辛苦撫養，耐心教導，十五年如一日，大恩大德，無法回報，令人悲痛欲絕。拜託姐妹們照顧母親。我的妻子如果生下男孩，則是家門的幸事，如果不是，也千萬不要立別人家的孩子為嗣。我們家是本地的大戶望族，至今零落已極。氣節和文章像我父子的，能有幾人，立一個不爭氣的後嗣會讓人恥笑，不如不立。

自然規律不可違背。倘若有光復之日，一定會有人供奉紀念我們。如果有人還要說立後嗣之事，父親和我在九泉之下也不饒過這些愚蠢且頑固的人。兵戈四起，我死後，不知何時才能安定。母親要保重身體，不要掛念我。二十年後，我和父親將再興義師。一定不要悲傷，我拜託的事，不要辜負。

外甥武功將來能成大器，家中的事情都可以託付給他。每逢寒食及盂蘭節，為我準備一杯清酒、一盞明燈，我的願望就滿足了。妻子與我成親兩年，賢惠孝順，也請武功外甥多加照顧。

語無倫次，人之將死，其言也善，悲痛萬分。

人終有一死，可貴的是死得其所。父親成忠臣，兒子成孝子，便可以從容面對死亡，含笑九泉，了卻分內之事。為了信念，生命是可以拋棄的。十七年生活在惡夢中，來世定要報此冤仇。我的靈魂將在天地間遨遊，我無愧於此生。

## 評析

夏完淳（1631－1647）原名復，字存古，號小隱，又號靈胥，松江華亭（今上海松江）人。從6歲起隨父親夏允彝遊宦四方，閱歷甚豐，並表現出超群出眾的文學才能。14歲即隨父親和老師陳子龍起兵抗清，其父在抗清失敗後投水自殺。但他仍為抗清而奔走聯絡，終於被俘。在獄中兩個多月，不屈而死，年僅16歲。他早期的詩歌多為摹仿因襲之作，明亡後所作的詩文，飽含愛國激情和英雄豪情，慷慨悲壯。

本文是作者被囚禁於南京獄中時所作。一個年僅十六歲的少年，明知將不久於人世，卻沒有絲毫的懊喪與茫然，也沒有絲毫的失望與恐懼，只有對國家興亡的關切，對親人的牽掛。雖然對自己不能盡心盡責於家庭內心有諸多不安、不忍，愧疚之情縈繞於懷，但詩人對自己選擇的道路始終無怨無悔，信念堅定，至死不渝。文章中表現出來的達觀的人生態度，臨危不懼、視死如歸的氣概，令人肅然起敬。文章寫來淒楚悲壯，動人心魄。正如郭沫若在《歷史人物》中評論夏完淳的作品時所說："十七歲之少年如此慷慨沉着，誰能讀之不為之凜然生感耶！"

# 清代

# 知其一　求知其二[1]

張潮

人非聖賢[2]，安能[3]無所不知。只知其一，惟恐不止其一，復求知其二者，上也。止知其一，因人言始知其二者，次也。止知其一，人言有其二而莫之信[4]者，又其次也。止知其一，惡[5]人言有其二者，斯[6]下之下矣。

## 注釋

1. 此則小品選自張潮的《幽夢影》卷上，題目為編者所加。
2. 聖賢：聖人和賢人。指品德高尚、智慧超群、才能傑出的人。
3. 安能：怎麼能。
4. 莫之信：不信。莫，不。
5. 惡：討厭，憎恨。
6. 斯：這。

## 串講

人不是聖賢，怎麼可能什麼都知道。只知其一，生怕道理不止於此，因而努力求知其二的人，是最明理的人。停留在知道其一，因別人告訴而知道有其二的人，稍差一等。停留在知道其一，別人說有其二卻不相信的人，又差一等。停留在知道其一，憎恨、討厭別人說有其二的人，是最差的。

## 評析

這篇短文按照對待知識的態度，將人分為四類。第一類人，對自己掌握的知識總覺得不全面、不充分，有強烈的求知慾，力求獲取更多、更深入的學問。第二類人，不求甚解，滿足於只知其一，但是如果有人告訴他有其二，會誠心接受，進一步學習，不過不知道有其二也不在意。第三類人，停留在只知其一，即使別人告訴他還有其二，他也不相信，無知而自負。第四類人，固執己見，死愛面子。憎惡別人說到自己不知道的東西。作者態度鮮明地將四類人分出優劣檔次，上、次、又次、下之下。這種評判十分精當。世界萬事萬物不斷發展更新，誰也不可能先知全知。多數情況下，多數人對知識都是只知其一，沒有深入的瞭解。對待知識的態度，表面上看，是一個人的性格和處世方式所決定，實際上取決於一個人的情智和悟性，最終會影響到一個人的前程。第一類人深感學無止境，努力求知。學問越來越廣博，品德修養也不斷完善，所以是明智而優秀的人。第二類人缺少銳意求知的精神，隨遇而安，如果有好的環境，好的機會，才有可能進步。這類人顯然比前者要略遜一籌。第三類人疑心重重，過於自負，會錯過許多機會，多半只能平庸度日。比第二類人又差了一些。最後一類人抱着敵視的態度對待新的知識和他人的提醒，這樣的人屬於不明事理。他們所掌握的一知半解的知識中，也少不了偏見和謬誤。有句格言說得好，偏見比無知離真理更遠。他們比什麼都不懂的人還要糟糕。所以將其列為下之下，是恰當的。

# 原君[1]

黃宗羲

有生之初[2]，人各自私也，人各自利也；天下有公利而莫或[3]興之，有公害而莫或除之。有人者出，不以一己之利為利，而使天下受其利；不以一己之害為害，而使天下釋[4]其害；此其人之勤勞，必千萬於天下之人。夫以千百倍之勤勞，而己又不享其利，必非天下之人情所欲居[5]也。故古之人君，去之而不欲入者，許由、務光[6]是也；入而又去之者[7]，堯，舜是也；初不欲入而不得去者，[8]禹是也。豈古之人有所異哉？好逸惡勞，亦猶夫[9]人之情也。

後之為人君者不然。以為天下利害之權皆出於我，我以天下之利盡歸於己，以天下之害盡歸於人，亦無不可；使天下之人不敢自私，不敢自利，以我之大私為天下之大公。始而慚焉，久而安焉，視天下為莫大之產業，傳之子孫，受享無窮。漢高帝[10]所謂"某業所就，孰與仲多"者，其逐利之情，不覺溢之於辭矣。

此無他，古者以天下為主，君為客，凡君之所畢世而經營者，為天下也。今也以君為主，天下為客，凡天下之無地而得安寧者，為君也。是以其未得之也，屠毒天下之肝腦，離散天下之子女，以博我一人之產業，曾不慘然[11]。曰："我固為子孫創業也。"其既得之也，敲剝天下之骨髓，離散天下之子女，以奉我一人之淫樂，視為當然。曰：“此我產業之花息[12]也。”然則為天下之大害者，君而已矣！向使[13]無君，人各得自私也，人各得自利也。嗚呼！豈沒君之道固如是乎！

古者天下之人愛戴其君，比之如父，擬之如天誠不為過也。今也天下之人怨惡其君，視之如寇仇，名之為獨夫[14]，固其所也。而小儒規規焉以君臣之義無所逃於天地之間，[15]至桀、紂之暴，[16]猶未湯、武不當誅之，而妄傳伯夷、叔齊無稽之事，[17]視兆人萬姓崩潰之血肉，曾不異夫腐鼠。豈天地之大，於兆人萬姓之中，獨私其一人一姓乎？是故武王，聖人也；孟子之言[18]，聖人之言也。後世之君，欲以如父如天之空名，禁人之窺伺[19]者，皆不便於其言，至廢孟子而不立[20]，非導源於小儒乎？

雖然，使後之為君者，果能保此產業，傳之無窮，亦無怪乎其私之也。既以產業視之，人之欲得產業，誰不如我？攝緘縢[21]，固扃鐍[22]，一人之智力，不能勝天下欲得之者之眾。遠者數世，近者及身，其血肉之崩潰，在其子孫矣！昔人願世世無生帝王家，[23]而毅宗之語公主，亦曰：“若何為生我家？”[24]痛哉斯言！回思創業時其欲得天下之心，有不廢然摧沮[25]者乎？是故名乎為君之職分，則唐、虞之世[26]，人人能讓，許由、務光非絕塵也；不明乎為君之職分，則市井之間，人人可欲，許由、務光所以曠後世而不聞也。然君之職分難明，以俄頃[27]淫樂，不易無窮之悲，雖愚者亦明之矣。

## 注釋

1. 原君：推究，研究做君王的道理。原：探究事物的根本和真相。
2. 有生之初：人類社會產生的最初階段。
3. 莫或：沒有。此處意為沒有人。
4. 釋：解除，消除。
5. 必非天下之人情所欲居：按人之常情，沒有人願意居於那個位置。
6. 許由、務光：傳說中不願當君王的上古高士。據說堯要讓君位給許由，許由拒絕，情願到箕山務農；湯要讓君位給務光，務光堅辭不就。
7. 入而又去之者：當了君主又主動退位者。
8. "初不欲入"句：起初不願做君主後來不得不做者。
9. 夫：虛詞，無意義。
10. 漢高帝：指劉邦。"某業所就，孰與仲多"：我的產業與二哥相比，誰更多？這句話是劉邦做了皇帝後對他父親說的。劉邦的二哥善於經營產業，常受到父親的誇獎。
11. 曾不慘然：竟然不感到慘痛。曾，竟、乃。
12. 花息：利息。
13. 向使：假使。向，假設，如果。
14. 獨夫：指殘暴無道、眾叛親離的統治者。
15. 小儒：淺陋的儒者。以君臣之義無所逃於天地之間：認為臣民忠於君王是天經地義的。
16. 桀：夏朝國君，暴虐無道，被商湯所滅。紂：商代國君，殘暴荒淫，被周武王推翻。
17. 伯夷、叔齊：商朝孤竹君的兩個兒子，周武王討伐商紂時，他們反對，認為臣不該伐君。周得天下後，他們不食周朝的俸祿，隱居首陽山。

18. 孟子之言：指孟子所說“民為貴，社稷次之，君為輕”。
19. 窺伺：指窺伺機會，奪取皇位。
20. 廢孟子而不立：廢除孟子在文廟中的牌位。明太祖朱元璋曾下詔不許祭祀孟子。
21. 攝緘縢：勒緊繩子捆好。縢，繩子。
22. 固扃鐍：鎖得牢牢的。扃，門閂。鐍：箱子上安鎖的地方，指鎖。
23. 昔人句：南朝宋順帝劉準被迫退位，說願世世不要投生在帝王家。
24. “毅宗”句：明思宗朱由檢在李自成的軍隊攻入北京後，想先砍死女兒。他對女兒說，你為何生在我家？
25. 廢然摧沮：灰心喪氣，失望傷感。
26. 唐、虞之世：指堯舜時代。唐，堯的國號。虞，舜的國號。
27. 俄頃：一會兒，片刻。

## 串講

在人類社會的早期，人們都只顧自己，只為自己的利益忙碌。對公眾有利的事情沒人領頭，對公眾有害的事情沒人清除。有人出來，不為個人的利益而讓公眾得利，不計個人的損失而使公眾免遭危難，這樣的人當然要比大家辛勞許多。比天下的人辛苦千百倍而又不能從中受益，按照人之常情，是沒有人願意處在那個位置的。所以古代的君主，自動躲開不願為人君者，有許由、務光；作了君主又主動卸任的有堯、舜，開始不願即位而後來不得不為人主的是禹，哪裏是古人有所不同，好逸惡勞也是人之常情啊。

後來做君主的就不這樣了。天下興利除害的大權都由我掌握，我把天下的好處都給自己，把天下的危害都讓別人經受，也沒什麼不可以。讓天下的人都不敢只顧自己，以君主的私人利益代表公眾利益。開始有些不好意思，時間長了便心安理得。將國家看作巨大的家產，傳給後代，享用無窮。像漢高祖劉邦所說的，我的產業和二哥比起來誰更多呢。追求利益的急迫心情暴露無遺。

沒有別的原因，古代的君主是以天下為主，自己為客，辛苦一生都是為公眾。今天的君主則以自己為主，天下為客。殺戮無辜，使老百姓家破人亡，毫不痛心，自認為是為子孫創業。耗盡民脂民膏，窮奢極慾；離散無數人家，蓄奴納妃，滿足一己之淫慾，視為理所當然，覺得花的是自家的錢。這樣的君主是天下的一大禍害。假如沒有君主，人們可以自己養活自己。唉，設立君主的道理難道如此嗎？

古人愛戴他們的君主，喻為父親，形容為天，確實不過分。今天老百姓憎恨君主，稱之為強盜、暴君，也是必然的。淺薄的人認為臣民順從君主是天經地義的。明知統治者殘暴，還說不應當推翻。說些伯夷、叔齊等無稽之談，簡直把億萬百姓的生命看得一錢不值。天下那麼大，億萬百姓中，為什麼獨要維護那一人一姓呢？所以周武王是聖人，孟子說的話是聖人之言。後來的君主想以如父、如天的空名來壓制那些想奪取皇位的人，直至不讓人們紀念孟子，和淺薄儒生的愚蠢之見不是如出一轍嗎？

雖是如此，後來的君主就能保證其江山永遠傳下去嗎？既然將江山看作是產業，希望能得到這產業的人，誰不是和做君主的人一樣呢？用繩子捆綁、用鎖禁錮，以一個人的智慧和力量，怎能勝過天下那麼多想得到這產業的人呢。遠則幾代，近則就在自身，殺身之禍可能降到子孫身上。所以過去有人說世世不要投生帝王家。崇禎皇帝對其女兒說，你為何生在我家？這是多麼悲痛的話啊。回想創業、奪天下時的豪情，怎麼不讓人傷心喪氣呢。所以能明白做君主的職責本分，像古代的帝王那樣，人人能讓位，則許由、務光就不會絕跡。若不明白做君主的職責本分，市井小人個個都想得到天下，那許由、務光之類的人就永遠見不着了。然而當君主的職責本分是不容易明白的，片刻的享樂，改變不了無窮的悲哀，即使是愚蠢的人也該明白這個道理啊。

## 評析

黃宗羲（1610—1695）字太沖，號南雷，又號梨洲，餘姚（今浙江餘姚）人。其父黃尊素是明末東林黨著名人物，明天啟六年被魏忠賢所害。他受遺命師從劉宗周，是復社領導者之一。他關心朝政，反對宦官專權。清兵南下，他招募義兵，成立“世忠營”，堅持抗清，被南明魯王政權任為左副都御史。魯王失敗後，他遭到迫害，四處流亡。後隱居著述，多次拒絕清廷徵召。他學問淵博，對經史百家以及釋道、天文、算術、樂律等無不研究，是清初著名的思想家、哲學家、史學家。文學成就主要表現在散文方面。

本文為《明夷待訪錄》中的第一篇。《明夷待訪錄》寫成於清康熙二年（1663），其中對封建專制制度的弊端進行了分析和批判，涉及官制、立法、學校、選舉、田制、兵制、財政等諸多方面的問題，提出了改革意見。《原君》作為第一篇，首先對封建王朝的最高統治者皇帝的身份和職責進行了剖析，對封建專制下的政治、倫理及道德觀念提出了懷疑，批判了盲目忠君的思想。作者廣徵博引，將古時的君主與後世的帝王進行對比，用傳說和歷史記載說明，古時的君王和後來的帝王對自己身份和職責的認定是不同的：前者是“以天下為主，君為客”，深知要付出辛勞，為天下興利除害，使人民安居樂業，因而得到人民的擁戴；而後者是“以君為主，天下為客”，以自己的享樂為目的，把天下當做個人的私產，任意搜刮、揮霍，對人民進行殘酷的剝削和壓制，必然會引起民眾的怨恨。作者指出，以民不聊生換來個人縱情享樂，最終會落得個亡國敗家的結局。作者的論述反映了樸素的民主思想，也代表了當時人民群眾對封建專制的反抗之聲。當然，作者不可能對君主政體提出徹底的改革主張，但文章中所體現出來的民主精神和批判意識，無疑是站在歷史的制高點，具有罕見的超前意識的。文章邏輯嚴謹，說理酣暢，傾注了作者憂國憂民的滿腔熱情，是一篇著名的政論散文。

# 中山公子

余懷

中山公子徐青君[1]，魏國介弟也[2]，家貲鉅萬。性華侈，自奉甚豐，廣蓄姬妾。造園大功坊側，樹石亭台，擬於平泉、金谷[3]。每當夏月，置宴河房[4]，選名妓四五人，邀賓侑酒。木瓜、佛手，堆積如山；茉莉、珠蘭，芳香似雪。夜以繼日，恆酒酣歌，綸巾鶴氅，真神仙中人也。弘光朝[5]，加中府都督，前驅班劍，呵導入朝，愈榮顯矣。乙酉鼎革[6]，籍沒田產，遂無立錐。群姬星散，一身孑然，與傭丐為伍，乃至為人代杖[7]。其居第易為兵道衙門。一日與當刑人約定杖數，計償若干。受杖時其數過倍，青君大呼曰："我徐青君也！"兵憲林公駭，問左右。左右有哀王孫者，跪而對曰："此魏國公之公子徐青君也，窮苦為人代杖。此堂乃其家廳，不覺傷心呼號耳。"林公憐之釋之，慰藉甚至。且曰："君尚有非欽產可清還者[8]，本道當為查給，以終餘生。"青君頓首謝曰："花園是某自造，非欽產也。"林公唯唯[9]，厚贈遺之，查還其園，賣花石、貨柱礎以自活[10]。吾觀《南史》所記，東昏宮妃[11]，賣蠟燭為業。杜少陵詩云："問之不肯道姓名，但道困苦乞為奴[12]。"嗚呼，豈虛也哉！豈虛也哉！

## 注釋

1. 中山公子：本篇選自《板橋雜記》下卷“軼事”，題目為編者加。徐達，明朝開國元勳，封魏國公，卒後追封中山王。
2. 魏國介弟：魏國公徐文爵的弟弟。介弟，對他人之弟的敬稱。
3. 擬於平泉、金谷：與平泉、金谷差不多。平泉是唐宰相李德裕的別墅，在今河南洛陽縣南。金谷是晉朝石崇的花園，在河南洛陽縣西北。
4. 河房：河邊的房間。
5. 弘光朝：崇禎十七年（1644）五月，福王朱由崧在南京建立的朝廷，年號弘光。
6. 乙酉鼎革：1645年，清兵攻入南京，南明王朝滅亡，清朝統治建立。
7. 為人代杖：代替判處杖刑的人受刑，以掙錢為生。
8. 欽產：明朝官府的產業。
9. 唯唯：答應。
10. 貨柱礎：賣掉柱石地基。
11. 東昏：東昏侯，南齊皇帝蕭寶卷（483－501），荒淫無度，被臣子殺，死後被追廢為東昏侯。
12. 杜少陵詩：唐代詩人杜甫《哀王孫》詩。

## 串講

中山王的後裔徐青君，是魏國公的弟弟。家財萬貫。性格豪放，性喜奢華。自恃富有，畜養了很多姬妾。他建了一座園子在大功坊的邊上，植樹建亭，點綴以假山怪石。其規模氣派，可與李德裕和石崇的別墅相媲美。每到夏天，在河邊設宴，選名妓四、五人，為賓客勸酒。木瓜和佛手堆積如山；茉莉和蘭花潔白如雪，芳香四溢。夜以繼日，歌舞酒宴不斷，讓人覺得彷彿置身仙境。南明福王時，他又有了中府都督之職位，每次當值，都前呼後擁，更加顯赫。南明王朝覆滅後，他被抄沒田產，於是連立錐之地都沒有了。侍女流散，他孤身一人，與乞丐為伍，甚至代人受杖刑以餬口。他的宅第變成了兵道衙門。一天與受刑人說好了受杖數，講好了價錢。但受杖刑時，杖數超過了一倍有餘，徐青君大叫："我是徐青君。"兵部姓林的官員驚駭地問左右的隨從。有對徐青君的命運感到悲哀的人，跪下回答說，這就是魏國公的公子徐青君，窮途末路，幫人受杖刑。這座公堂是他家原來的大廳，所以他禁不住傷心呼號起來。林公可憐他，把他放了，並對他關懷備至，還對他說，你原來的財產中如有不屬明朝朝廷的財產的，我可以清查出來還給你，讓你能夠渡過餘生。徐青君磕頭道謝，說道，這座花園是我自己建造，不是朝廷的財產。林公答應了，贈送給他很多東西，並把花園還給了他。徐青君賣掉了園中的花木怪石及柱石地基來活命。我看《南史》裏記載，齊東昏侯的王妃，在東昏侯死後賣蠟燭為生。杜甫的詩寫道，"問之不肯道姓名，但道困苦乞為奴"。哎，看來這都不是虛妄之言啊！

## 評析

余懷（1616—1696）字澹心，一字無懷，號曼翁、鬘持老人，莆田（今福建莆田）人。明末清初著名文士。明亡後流寓金陵，晚年定居蘇州，詩歌作品中頗多家國興亡之悲。著有《板橋雜記》，《三吳遊覽志》、《甲申集》等。

本篇所寫的"中山公子徐青君"，是明初開國元勳徐達的後裔，這樣的公侯子弟倚仗有貴族特權，極盡豪侈之能事，忽然改朝換代，淪落窮困，又因沒有一技之能，只好與乞丐為伍，甚至充當代杖人——代犯人受刑。作者善於描寫"黍離"之悲，本篇通過徐青君的生活變遷抒發了世事滄桑的感慨。

# 李姬傳

侯方域

李姬者，名香，母曰貞麗。貞麗有俠氣，嘗一夜博，輸千金立盡。所交皆當世豪傑，尤與陽羨陳貞慧[1]善。姬為其養女，亦俠而慧，略知書，能辨別士大夫賢否。張學士溥[2]、夏吏部允彝[3]，亟稱之。少風調皎爽不群。十三歲，從吳人周如松受歌。玉茗堂四傳奇[4]，皆能盡其音節，尤工《琵琶詞》[5]，然不輕發[6]也。雪苑侯生，己卯[7]來金陵，與相識。姬嘗邀侯生為詩，而自歌以償之。

初，皖人阮大鋮[8]者，以阿附魏忠賢論城旦[9]，屏居[10]金陵，為清議[11]所斥。陽羨陳貞慧，貴池吳應箕[12]實首其事，持之力。大鋮不得已，欲侯生為解之，乃假所善王將軍，日載酒食與侯生遊。姬曰："王將軍貧，非結客者。公子盍叩之？"侯生三問，將軍乃屏人述大鋮意。姬私語侯生曰："妾少從假母識陽羨君，其人有高義，聞吳君尤錚錚。今皆與公子善。奈何以阮公負至交乎？且以公子之世望，安事阮公？公子讀萬卷書，所見豈後於賤妾耶？"侯生大呼稱善，醉而臥。王將軍者殊怏怏，因辭去，不復通。

未幾，侯生下第，姬置酒桃葉渡[13]，歌《琵琶詞》以送之，曰："公子才名文藻，雅不減中郎[14]。中郎學不補行，今《琵琶》所傳詞固妄，然嘗昵董卓，不可掩也。公子豪邁不羈，又失意，此去相見未可期，願終自愛，無忘妾所歌《琵琶詞》也。妾也不復歌矣！”

侯生去後，而故開府田仰[15]者，以金三百鍰[16]邀姬一見，姬固卻之。開府慚且怒，且有以中傷姬。姬歎曰：“田公寧異於阮公乎？吾向之所讚於侯公子者謂何？今乃利其金而赴之，是妾賣公子矣！”卒不往。

## 注釋

1. 陳貞慧：字定生，明末復社後期領導人之一，明亡後隱居家鄉。
2. 張學士溥：張溥，字天如，明末復社的創建者。
3. 夏吏部允彝：夏允彝，字允仲，崇禎七年進士，幾社的創建人之一。
4. 玉茗堂四傳奇：明代劇作家湯顯祖的四部傳奇《還魂記》、《紫釵記》、《南柯記》、《邯鄲記》。
5.《琵琶詞》：元末高明的傳奇《琵琶記》。
6. 不輕發：不輕易演唱。
7. 己卯：明崇禎十二年（1639）。
8. 阮大鋮：字集之，號圓海，一號石巢。明末魏忠賢黨羽，後降清。
9. 論城旦：判罪。城旦，對犯人的一種懲罰，白天偵察敵情，晚上築城。
10. 屏居：退居。
11. 清議：社會輿論。
12. 吳應箕：字次尾，明末復社的重要人物。
13. 桃葉渡：南京秦淮河上的一個渡口。
14. 中郎：蔡邕，字伯喈，東漢末年人，《琵琶記》中的男主角。

15. 田仰：南明王朝時淮陽巡撫，奸臣馬士英的黨羽。

16. 鍰：重量單位，六兩為一鍰。

## 串講

李姬，名香，其母名貞麗。李貞麗有豪俠之氣。曾經有一次，她賭博通宵，輸了千兩黃金。她交往的都是豪傑之士，尤其與陳貞慧交好。李香是其養女，亦有俠氣且聰明。略知書，能辨別士大夫們賢明與否，張溥、夏允彝等都稱讚她。李姬年少時即風度不凡。十三歲時，從吳人周如松學習唱歌。湯顯祖的玉茗堂四傳奇，她都能演唱，尤其擅長《琵琶詞》，但她不輕易演唱。侯生於崇禎十二年來到金陵，與李姬相識。李姬曾經邀侯生為其寫詩，她以歌為回報。

早先，有安徽人阮大鋮，因為攀附魏忠賢而被判罪，退居金陵，被輿論所不容。陳貞慧、吳應箕等人對他猛烈抨擊。阮大鋮不得已，想要侯生幫他解圍。於是托與他交好的王將軍，每天帶着酒及食物與侯生遊玩。李姬覺得奇怪，說，王將軍不富有，也不是喜歡交朋結友的人，你為何不問問他何以這樣對你？侯生問了好多次，王將軍才告訴侯生阮大鋮的意思。李姬私下裏對侯生說，我從小和養母認識陳貞慧，那人磊落仗義，聽說吳應箕更是鐵骨錚錚的人，現在都和你交好，怎麼能為了阮大鋮而背棄至交呢？而且憑着您的聲望，怎麼能去幫阮大鋮？你讀過萬卷書，見識怎麼會比我這樣一個女子差呢？侯生聽後連連說好，醉酒酣睡不醒。王將軍沒有達到目的，掃興而歸。從此之後不再來往。

沒過多久，侯生科舉下第，李姬設酒宴在桃葉渡，唱《琵琶詞》送侯生。說，公子的才名文采，不比蔡邕差。蔡邕雖有才，但彌補不了他德行的缺失。現在所流傳《琵琶記》的內容固然失實，但他曾經和董卓交好，這是掩蓋不住的。公子豪放不羈，且又失意，這一別不知何時才能相見，希望你始終自愛，不要忘了我唱的《琵琶詞》。我以後再也不唱了。

侯生走了以後，田仰拿一千八百兩金邀李姬一見，李姬堅辭不見。田仰大怒。李姬歎息說，田仰和阮大鋮有什麼區別呢？我今天如果為了錢財而依附於田仰，就等於出賣侯生。所以她始終沒有去。

## 評析

侯方域（1618—1654）字朝宗，號雪苑，商丘（今河南商丘）人。明末“復社”成員。“復社”是張溥、陳貞慧等發起的結社，繼承東林傳統，講究氣節，復興古學。侯方域在當時已有文名，與方以智、冒襄、陳貞慧合稱“四公子”。清兵南下後，他曾先後投奔史可法、高傑等將領，後還居鄉里。清廷迫使他應鄉試，中副榜舉人，為人所譏，不久病故。著有《壯悔堂文集》、《四憶堂詩集》等。

李香是個才藝出眾的歌妓，更可貴的是她能判斷政治上的忠奸是非，辨別文人士子的賢佞善惡，有識見，講氣節。同作品中的阮大鋮、王將軍這些平庸的鬚眉男子相對照，更加顯出她品格、情操的高尚。本篇的人物和情節描寫對清代孔尚任所作的著名的戲曲作品《桃花扇》也有影響。

# 馬伶傳

侯方域

馬伶者，金陵梨園部[1]也。

金陵為明之留都[2]，社稷、百官皆在，而又當太平盛時，人易為樂，其士女之問[3]桃葉渡、遊雨花台者，趾相錯[4]也。梨園以技鳴者，無論數十輩，而其最著者二，曰興化部，曰華林部。

一日，新安賈[5]合兩部為大會，遍徵金陵之貴客文人，與夫妖姬、靜女，莫不畢集。列興化於東肆[6]，華林於西肆。兩肆皆奏《鳴鳳》[7]，所謂椒山先生[8]者。迨半奏，引商刻羽[9]，抗墜疾徐[10]，並稱善也。當兩相國論河套[11]，而西肆之為嚴嵩相國者曰李伶，東肆則馬伶，坐客乃西顧而歎，或大呼命酒，或移坐更近之，首不復東。未幾更進，則東肆不復能終曲。詢其故，蓋馬伶恥出李伶下，已易衣遁矣。馬伶者，金陵之善歌者也，既去，而興化部又不肯輒以易之[12]，乃竟輟其技不奏，而華林部獨著。

去後且三年而馬伶歸，遍告其故侶，請於新安賈曰："今日幸為開宴，招前日賓客，願與華林部更奏《鳴鳳》，奉一日歡。"既奏已而論河套，馬伶復為嚴嵩相國以出。李伶忽失聲匍匐前，稱弟子。興化部是日遂凌出華林部遠甚。

其夜，華林部過馬伶曰："子，天下之善技也，然無以易[13]李伶，李伶之為嚴相國至矣，子又安從授之[14]而掩其上哉？"馬伶曰："固然，天下無以易李伶，李伶即又不肯授我。我聞今相國昆山顧秉謙者，嚴相國儔[15]也。我走京師，求為其門卒三年，日侍昆山相國於朝房，察其舉止，聆其語言，久乃得之。此吾之所為師也。"華林部相與羅拜[16]而去。

馬伶名錦，字雲將，其先西域人，當時猶稱馬狗狗[17]云。

## 注釋

1. 梨園部：指戲班。
2. 留都：明朝朱元璋建都於南京，明成祖遷都北京，南京仍保留都城的建制，稱留都。
3. 問：遊覽、觀賞。
4. 趾相錯：腳挨腳，形容遊人多。
5. 新安賈：新安的商人。新安，今安徽省歙縣。
6. 肆：店舖，此處指戲場。
7.《鳴鳳》：明代傳奇劇本《鳴鳳記》，無名氏作，一說王世貞作。劇作寫楊繼盛等正直之士與奸相嚴嵩的鬥爭。
8. 椒山先生：即楊繼盛，字仲芳，號椒山，任南京兵部右侍郎，彈劾嚴嵩，被害死。
9. 引商刻羽：指演唱附合曲調節拍的要求。古代音樂五聲叫宫、商、角、徵、羽。

10. 抗墜疾徐：指曲調的高低快慢。

11. 兩相國論河套：《鳴鳳記》第六齣演夏言與嚴嵩爭論是否應該收復河套地區的問題。

12. 輒以易之：隨便用其他演員來代替馬伶。

13. 易：此處意為勝過。

14. 安從授之：從哪裏學來。

15. 儔：同類。

16. 羅拜：環列而拜。

17. 狪狪：即回回，對回族和伊斯蘭教徒的稱呼。

## 串講

馬伶，是金陵戲班裏的一個藝人。

金陵是明朝的留都，朝廷、百官皆有。時當太平盛世，人們都樂於遊玩，去桃葉渡、雨花台的人特別多。以技藝高超而聞名的戲班有數十個，其中最好的有兩個，一個名興化部，一個名華林部。

一天，新安的一位商人集合兩個戲班舉行了一場大會，邀請了金陵眾多貴客文人及仕女聚集一堂。興化班在東邊的戲場，華林班在西邊的戲場。兩個戲班都演《鳴鳳記》，此劇寫楊繼盛的事。演到一半時，雙方的演唱都十分精彩。但當演到第六齣，兩個相國討論是否應該收復河套時，西邊扮演嚴嵩的是李伶，東邊的扮演者是馬伶。客人們都轉向西面，大聲叫好，還要酒痛飲，把座位移得更靠近西邊，不再看東邊的演出。沒過多久，情況更加嚴重，東邊戲場已經無法繼續演下去。詢問其緣由，原來是馬伶覺得演得不如李伶，大失面子，已經脫下戲服悄悄離開了。馬伶，是金陵的一位善於唱曲的藝

清代演劇圖

人，他離去後，興化班不肯輕易以別人替換他，於是中止了演出，因而華林班獨享盛名。

三年之後，馬伶回來了。他把這個消息告訴了所有的故交老友，並向那位新安商人請求說，今天希望您能再舉辦一個宴會，把當年那些賓客都邀請來，我想和華林班再演一次《鳴鳳記》，讓您享受一天的快樂。商人答應了他的要求。等演到討論收復河套那一段時，馬伶又扮演嚴嵩登場了。李伶忽然停止了表演，跪倒在馬伶面前，想拜他為師。興化班那天的演出比華林班好得多。

那天晚上，華林班去拜訪馬伶，問他，你是一位技藝高超的演員，但是也沒有勝過李伶，李伶扮演嚴相國已經登峰造極了，你又從哪裏學來的技藝能超過他呢？馬伶說，你說得對，天下沒人能勝過李伶，而李伶又不肯教我。我聽說現在的相國、昆山的顧秉謙，與嚴相國相似。於是我去了京城，請求受僱於他。我在他家裏三年，每天都服侍他上朝，觀察他的舉止、神態，注意聽他說話，久而久之，便得其神韻。他就是我的老師。華林班的藝人們聽後，環列而拜，然後離去。

馬伶名錦，字雲將，他的祖先是西域人，當時也被稱作馬回回。

## 評析

本篇描寫戲曲演員馬錦在同行競爭中先敗後勝的故事。金陵的興化部和華林部都是著名戲班。一次，這兩個戲班唱對台戲，都演《鳴鳳記》，興化部的馬錦扮演嚴嵩，演技不如華林部的李姓藝人，馬錦當場遁去。隨後，他似乎消失了。三年後，他忽然又回到了金陵，再次與華林部唱對台戲，終於賽過了李伶。原來，馬伶在三年中北走京城，在一位宰相家當門卒，“察其舉止，聆其語言，久乃得之”。生活是藝術源泉，生活體驗使他在戲曲表演上獲得了成功。失敗了不氣餒，沉得住氣，決心進取，是他成功的訣竅。

# 致錢謙益書

柳如是

古來才子佳婦，兒女英雄，遇合甚奇，終始不易。如司馬相如之遇文君，如紅拂之歸李靖，心竊慕之。

自悲淪落，墮入平康[1]，每當花晨月夕，侑酒[2]徵歌之時，亦不鮮少年郎君、風流學士，綢繆繾綣[3]，無盡無休。但是事過情移，便如夢幻泡影，故覺味同嚼蠟，情似春蠶。年復一年，因服飾之奢靡，食用之耗費，入不敷出，漸漸負債不貲[4]，交遊淡薄。故又覺一身軀殼以外，都是為累，幾乎欲把八千煩惱絲[5]割去，一意焚修[6]，長齋事佛。

自從相公辱臨寒家[7]，一見傾心，密談盡夕。此夕恩情美滿，盟誓如山，為有生以來所未有，遂又覺人世尚有此生歡樂。復蒙揮霍萬金，始得委身，服伺朝夕。春宵苦短，冬日正長。冰雪情堅，芙蓉帳暖；海棠睡足，松柏耐寒。此中情事，十年如一日。

不意山河變遷，家國多難。相公勤勞國家，日不暇給，奔走北上，跋涉風霜。從此分手，獨抱燈昏。妾以為相公富貴已足，功業已高，正好偕隱林泉，以娛晚景。江南春好，柳絲牽舫，湖鏡開顏。相公徘徊於此間，亦得樂趣。妾雖不比文君、紅拂之才之美，藉得追陪杖履，學朝雲[8]之侍東坡，了此一生，願斯足矣。

## 注釋

1. 平康：妓院的代稱。
2. 侑酒：勸酒，為飲酒者助興。
3. 綢繆繾綣：情意纏綿。
4. 負債不貲：無錢還債。貲，錢財。
5. 八千煩惱絲：指頭髮。
6. 焚修：焚香修煉，指剃髮為尼。
7. 寒家：謙詞，指自己家。
8. 朝雲：蘇東坡的侍妾，姓王，浙江錢塘人。蘇軾貶惠州時曾相隨服侍左右。

## 串講

從古到今，才子佳人、兒女英雄的相遇結合都充滿了戲劇色彩，殊為不易。比如司馬相如遇到卓文君，比如紅拂女嫁給李靖，我心裏常生羡慕之情。

我此生不幸，淪落青樓。每當花晨月夜，勸酒歌唱之時，也有不少風流少年和文人學士，情誼纏綿，無休無止。可是時過境遷，這一切便如同夢幻泡影，消逝得了無痕跡。所以覺得這種情感滋味如同嚼蠟，短暫得有如春蠶。一年又一年，因為服飾、飲食用度的奢糜，漸漸入不敷出，負債漸多，和朋友的交往也淡薄了。於是又覺得一身軀殼之外，都是累贅，幾乎想剃髮為尼，專心焚香讀經，吃齋念佛。

自從您來到我家，一見傾心，那天與你交談通宵。那一夜真是恩情美滿，海誓山盟，是我有生以來未曾經歷過的。於是又覺得人生中到底還是有這樣的歡樂。又承蒙您花鉅資為我贖身，我才得以在先生身邊相伴，朝夕相處。無論春夏秋冬，我們甘苦與共，深情厚意，十年如一日。

不料國家多難，世事驟變，山河易主。您一心為國家操勞，終日不得空閒。奔走北上，艱難跋涉，衝風冒雪。一別之後，我只能獨守空房，獨對昏燈。我認為您此生富貴已足，功成名就。正好我與您歸隱山林，安享晚年。江南春景正好，湖水盪漾，畫舫穿行，綠柳成蔭。相公如能歸來，徜徉在湖光山色之中，也能享受到無盡的樂趣。我雖比不上卓文君和紅拂女的才能和美貌，但也能追隨着您，像朝雲跟隨蘇東坡那樣服侍您，了此一生，我此生之願也就滿足了。

## 評析

本篇是柳如是寫給錢謙益的一封信。錢謙益（1582—1664)是明末清初著名的散文家和詩人，字受之，號牧齋，萬曆三十八年進士。官至禮部侍郎。入清後以禮部侍郎管秘書院事，任《明史》館副總裁。他和柳如是的交往被傳為佳話。柳如是在此封書信中首先回憶了她自己的不幸身世，由此慶幸與錢謙益的相識，也十分珍惜與錢謙益相愛的年月。他們共同經歷了明清易代的血雨腥風，信中表達了對錢謙益的思念之情及希望與錢謙益一同歸隱江南的願望，也流露出對錢仕清的不滿。

# 與子侄書

毛先舒

年富力強，卻渙散精神，肆應於外。多事無益妨有益，將歲月虛過，才情浪擲[1]。及至曉得收拾[2]精神，近裹着己[3]時，而年力向衰，途長日暮，已不堪發憤有為矣。回而思之，真可痛哭！汝等雖在少年，日月易逝，斯言常當猛省。

## 注釋

1. 浪擲：浪費，虛擲。
2. 收拾：收斂，聚集，這裏指集中精神。
3. 近裹着己：意思是將分散的精力收攏到一起。裹，裹面，內部，指自己的內心。

## 串講

如果年富力強的時候，渙散精神，成天在外面應酬、遊玩，荒廢了時光，浪費了才華，盡做些沒用的事，就會把有益於身心和前程的事耽誤了。等到想要集中精力，振奮精神，幹一番事業時，才發現自己年齡已經不小了，精力日衰。而從奮發努力到有所作為的路途是漫長的。那時已經沒有充足的精力去承受艱苦的奮鬥了。回想起來，真讓人痛心疾首。你們都在少年時代，但時光轉瞬即逝，我的這些話你們要記在心中，經常自省。

## 評析

日月如流水易逝，少壯當極時努力，真是老生常談。可如此簡單明白的道理卻常常在年輕時被忽略。信中所言少壯不努力、老大徒傷悲的感歎，為許多過來人所共有。途長日暮，力不從心；人生苦短，悔不當初。字裏行間所表達的功業難成的悔恨心情，確是懇切。以此告誡晚輩及早發奮，意之切切，情之殷殷。

# 吾廬記

魏禧

季子禮[1]，既倦於遊，南極瓊海[2]，北抵燕，於是作屋於勺庭之左肩，曰：“此真吾廬矣！”名曰吾廬。

廬於翠微址最高，群山宮[3]之，平疇崇田[4]，參錯其下，目之所周，大約數十里，故視勺庭為勝焉。

於是高下其徑，折而三之。松鳴於屋上，桃、李、梅、梨、梧桐、桂、辛夷之華[5]，蔭於徑下，架曲直之木為檻[6]，堊[7]以蜃灰，光耀林木。

客曰：“斗[8]絕之山，取蔽風雨足矣。季子舉債而飾之，非也。”或曰：“其少[9]衰乎！其將懷安[10]也”。

方季子之南遊也，驅車瘴癘[11]之鄉，蹈不測之波，去朋友，獨身無所事事，而之瓊海。至則颶風夜發屋，臥星露之下。兵變者再，索人而殺之，金鐵[12]鳴於堂戶，屍交於衢，流血溝瀆。客或以聞諸家[13]，家人憂恐泣下，余談笑飲食自若也。及其北遊山東，方大饑，飢民十百為群，煮人肉而食。千里之地，草絕根，樹無青皮。家人聞之，益憂恐，而季子竟至燕。

客有讓[14]余者曰：“子之兄弟一身矣，又唯子言之從[15]。今季子好舉債遊，往往無故衝危難，冒險阻，而子不禁，何也？”余笑曰：“吾固知季子之無死[16]也。吾之視季子之舉債冒險危而遊，與舉債而飾其廬，一也。且夫人各以得行其志為適。終身守閨門之內，選耎[17]趑趄，蓋井而觀，腰舟[18]而渡，遇三尺之溝，則色變不敢跳越，若是者，吾不強之適江湖。好極山川之奇，求朋友，攬風土之變，視客死如家[19]，死亂如死病，江湖之死如衽席[20]，若是者，吾不強使守其家。孔子曰：'老士不忘在溝壑[21]。' 夫若是者，吾所不能而弟子能之，其志且樂為之，而吾何暇禁？"

季子為余言，渡海時舟中人眩怖不敢起，獨起視海中月，作《乘月渡海歌》一首。兵變，闔而坐，作《海南道中詩》三十首。余乃笑吾幸不憂恐泣下也。

廬既成，易堂諸子[22]，自伯兄[23]而下皆有詩。四方之士聞者，咸以詩來會，而余為之記。

## 注釋

1. 季子禮：魏禮，字和公，魏禧的弟弟。季，指兄弟姐妹中排行最小的。
2. 瓊海：指海南島。
3. 宮：圍繞。
4. 平疇崇田：高低不平的田地。崇，高。
5. 辛夷之華：辛夷樹的花。辛夷樹屬木蘭科，落葉喬木，木有香氣；花開似蓮花而小，如盞，有紫色也有白色，又稱玉蘭。
6. 檻：長廊中的欄杆。
7. 堊：用白色塗料粉刷。

8. 斗：通“陡”，陡峭。

9. 少：稍微。衰：減少。

10. 懷安：想過安適的生活。

11. 瘴癘：即瘴癘，指感受瘴氣而生病。

12. 金鐵：指武器。

13. 客或以聞諸家：有人將這些情況告訴家裏人。

14. 讓：責備，責問。

15. 唯子言之從：只聽從你的話。

16. 無死：不會死。

17. 選耎：趑趄，想前進不敢前進。形容疑懼不前。

18. 腰舟：古人將葫蘆繫於腰間，用以渡水，稱腰舟。

19. 視客死如家：把死在外面和死在家裏看做一樣的。

20. 衽席：床褥。

21. 志士不忘在溝壑：有志者志在四方，棄屍溝壑也不在乎。

22. 易堂諸子：易堂的諸位先生。魏禧與其兄魏祥、弟魏禮及李騰蛟、丘維屏、彭任、曾燦、彭士望、林時益諸人在翠微峰創設易堂講學，世稱“易堂九子”。

23. 伯兄：大哥，指魏祥。

## 串講

小弟魏禮四處旅遊，南到海南島，北到河北。如今厭倦了，便在勺庭附近建了一處住所。興奮地說，這真是我的房子了！取名曰“吾廬”。

房屋選址在翠微峰的最高處，群山簇擁，層層梯田錯落環繞，放眼望去，方圓數十里盡收眼底。所以勺庭稱得上是一處勝景。

上下的山路蜿蜒曲折。山風吹過，松濤在屋頂迴響。桃、李、梅、梧桐等樹木鬱鬱蔥蔥，濃蔭掩蔽着山路。小路邊插着有曲有直的木棍作欄杆，欄杆粉刷成白色，與周圍的樹木相映照。

有人說，那麼陡峭的山上，房子能遮擋風雨就可以了，小弟借債裝飾，不合適。也有人說他太貪圖安逸了。

當年小弟遠遊南方的時候，走過瘟疫流行的村莊，渡過水深莫測的河流。離開朋友，獨自一人到海南島。夜裏狂風摧毀了房屋，只能睡在露天裏。那裏兵慌馬亂，拿着刀槍的兵士見人就殺。屍體堆積在街道上，血流成河。有人把這些情況告訴我家裏的人，他們驚恐得直哭。我則談笑自若，飲食如常。當他遠遊到山東，遇上饑荒。災民成群結夥煮食人肉。千里之內，連草根、樹枝都見不到。家人聽說後，更加緊張。而小弟竟然更向前直至河北。

魏禧像

有人責備我說，你們是親兄弟，他又只聽你一個人的話。他借債出遊，無緣無故地去冒風險，你為何不阻止他呢？我笑着回答，我相信他死不了。在我看來，小弟借債冒艱險出遊與借債裝飾他的房屋是一樣的。人都以實現各自的志向為滿足。一輩子守在家裏，怯懦猶豫，遇到三尺寬的小溝也緊張得不敢跨越，這樣的人我不會勉強他去闖大江大河。愛好自然奇景，廣泛交友，觀察各種風土人情，將死在外地看作死在家裏一樣。有這樣的志趣，我就不強迫他守在家裏。孔子說，有志向的人四海為家。我做不到的事，我弟弟能做到並且樂於去做，我為什麼要禁止呢？

小弟說，渡海的時候，船上的人都暈船而且懼怕，不敢站起來。他卻站起來觀賞海上明月，寫了一首《乘月渡海歌》。外面打仗，他卻關在屋裏寫了三十首《海南道中詩》。聽到這些，我欣然笑了，慶幸當時沒有因為憂慮而落淚。

房屋造好了，易堂的各位先生都作詩慶賀，四方的朋友聽說後也寫詩來助興。我為之寫下《吾廬記》。

## 評析

魏禧（1624－1680）字冰叔，號裕齋，又號勺庭、叔子，寧都（今江西寧都）人。明末諸生，明亡後隱居翠微峰，交結賢豪，力圖恢復。所居之地名勺庭，故人又稱“勺庭先生”。中年以後，出遊江蘇、浙江等地，康熙十七年（1678）舉博學鴻詞，不應。他是清初著名散文家，文章語言簡潔，風格雄健。人們將他與侯方域、汪琬並稱為清初“散文三大家”。其兄魏祥、弟魏禮都擅文章，世稱“寧都三魏”。

吾廬是魏禧的弟弟魏禮建在翠微峰的一座屋宇。翠微峰在今江西省寧都縣西北，為金精山十二峰之一。魏禧隱居於此時，設易堂講學。這篇文章的主旨是為吾廬作記，而其中主要內容是記述吾廬的主人——魏禮的性格和為人。文章以問答的形式，說明人們對魏禮所作所為的異議，以及作者的看法。人們對魏禮表示不解主要因為兩件事：一是他不惜借債花巨資在山中建造吾廬；二是借債出遊，而且專赴危難和艱險之地。魏禧作為兄長，對魏禮的這些作法不僅不反對，而且深為理解，十分贊同。他認為，人各有志，而且人各以其志向得以實現而感到滿足和欣喜。魏禮不安於平淡安逸的生活，願意經歷艱難困苦，他的那些看似出奇的舉動實際上鍛煉培養了他的意志和性格。魏禧為魏禮迎難而上、處亂不驚的氣度而自豪，為他選定一件事就堅決做到底、做漂亮的決心而感到欣慰。這些觀點，對今天年輕人的成長也不無啟發意義。

# 秀野堂[1]記

朱彝尊

長洲顧俠君[2]，築堂於宅之北，閭丘坊之南。導以迴廊，空以徑，壘石為山，望之平遠也；捎溝為池[3]，即之蘊淪[4]也。登者免攀陟之勞，居者無塵壒[5]之患。曉則竹雞[6]鳴焉，晝則佛桑[7]放[8]焉。於是插架以儲書，叉竿以立畫，置酒以娛賓客，極朋友昴弟[9]之樂。暇取元一代之詩甄綜[10]之，得百家焉，業布之通都矣。俠君乃夢有客愉愉[11]，有客瞿瞿[12]，一一十十，容色則殊，或俛[13]而拜，或立而盱[14]。覺而曰："是其為元人之徒與[15]將林有遺材，而淵有遺珠與？"乃借鈔於藏書者，復得百家焉，未已也。博觀乎書畫，旁搜乎碑碣，真文梵夾[16]，靡[17]勿考稽，又不下百家，而元人之詩乃大備矣。

予留吳下，數過君之堂。俠君請於予作記。思夫園林丘壑之美，恆為有力者所佔，通賓客者蓋寡。所狎或匪[18]其人。明童妙妓充於前，平頭長鬣[19]之奴奔走左右。舞歌既闋[20]，荊棘生焉。惟學人才士著作之地，往往長留天壤間，若文選之樓[21]，爾雅之台[22]是已。吳多名園，然蕪沒者何限！而滄浪之亭[23]，樂圃之居[24]，玉山之堂[25]，耕漁之軒，至今名存不廢，則以當日有敬業樂群之助，留題尚存也。俠君築斯堂，嫓[26]群雅，將自元而宋而唐而南北朝而漢，悉取以論定焉。吾姑記於壁，用示海內之誦元詩者。

## 注釋

1. 秀野堂：位於蘇州。常有來自各處的文人墨客聚會吟詩。
2. 顧俠君：顧嗣立，字俠君，康熙時人，有多種著述。
3. 捎溝為池：把小水溝挖成水塘。捎，挖開，挖去。
4. 蘊淪：輕微細小的波浪。
5. 塵壒：塵埃。
6. 竹雞：一種鳥名，主要分佈在我國長江以南的山區。
7. 佛桑：即扶桑，又名朱槿，主要生長於我國南方。
8. 放：開放。
9. 昪弟：昪，同“昆”。昆弟，兄弟。
10. 甄綜：鑒別，聚合。甄，鑒別。綜，集合，匯總。
11. 愉愉：和順的樣子，心情舒暢。
12. 瞿瞿：勤勉謹慎的樣子。
13. 俛：同“俯”，向下，低頭。
14. 盱：張大眼睛向上看。
15. 與：表示疑問或感歎的語氣詞。
16. 梵夾：佛經。
17. 靡：沒有。
18. 匪：不是。
19. 鬣：指鬍鬚。
20. 闋：停止。
21. 文選之樓：樓名。一在湖北襄陽，為南朝梁昭明太子蕭統所建，統集十餘人，在此編輯了《文選》，因而得名。一在江蘇揚州，為蕭統讀書處。也有人認為是隋朝曹憲故居。因曹憲教授《文選》，故而得名。

22. 爾雅之台：古蹟名，位於湖北宜昌。

23. 滄浪亭：蘇州名園之一，宋代詩人蘇舜欽所建。

24. 樂圃之居：蘇州一處園林，建於宋代。

25. 玉山之堂：建於元代。阿瑛與楊維禎等曾在其中相互唱和，傾動一時。

26. 獠：同“撩”，捕捉的意思。

## 串講

長洲的顧嗣立，修了一座堂在宅第的北面，閭丘坊的南面。迴廊小徑貫穿其中，用石頭壘了假山，看着頗有曲徑通幽之妙。把小水渠擴大，成為池塘。水面泛着細小的波浪。攀登山石的人看到微波蕩漾不會覺得疲勞，居住的人也藉以減少灰塵。早晨，竹雞鳴叫；白天，扶桑花盛開，景色宜人。於是支起架子放置書和畫，擺下酒宴招待賓客，盡享朋友、兄弟間交往的歡樂。閒暇的時候，取來元詩進行整理，一共收集了一百多家。一天，顧俠君夢見有許多客人來，有的相貌和順，有的看似拘謹，形形色色，神色各異。有的低頭下拜，有的睜大眼睛站着。待醒來之後，想到，這些是否是元代人的追隨者呢？大概還有未搜集全的詩，就像樹林中還有沒有利用的木材，深淵中有沒被發現的珠寶？於是，向藏書家借書回來抄錄，又得到了一百家詩。他還覺得不夠。又看了大量的書畫，還搜集了一些碑銘、佛經，他都一一考察紀錄，又得到了一百多家，這樣，元人的詩他差不多搜集完備了。

我留在吳地，幾次拜訪了他。俠君請我為他做一篇記。我想那些修飾得精巧美妙的園林丘壑，總是被有權有勢的人佔據，很少有賓客去領略。權貴們所愛寵的也不是文人學士，他們身邊，總是那些美貌的藝伎，或是被傭人圍繞。一旦歌舞消歇，園中就會荊棘叢生。只有文人士子著述的地方，才能夠長久保留天地間，比如文選樓和爾雅台。吳地有很多的名園，然而不知有多少都荒蕪廢棄了！只有滄浪亭、樂圃居、玉山堂、耕漁軒，至今名聲在外，沒被廢棄。那是因為當年才學之士在那裏唱和題寫的詩句至今尚存。顧先生修建這座堂，搜集了大量詩歌，將從漢、南北朝到唐、宋、元的佳作都搜集選取並加以評論。我姑且把這篇題記寫在牆壁上，告知海內喜歡元詩的友人。

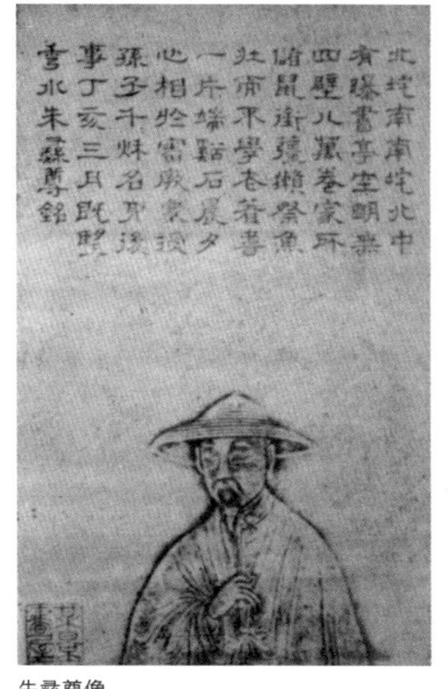
朱彝尊像

## 評析

朱彝尊的這篇短文記一座私人花園——秀野堂。文中首先描寫了秀野堂的景物：迴廊小徑，假山池塘；竹林翠綠，扶桑火紅；拂曉雞鳴，終日鳥啼。真是自然風光與人工美景的巧妙結合。誰置身其中，都會陶醉不已。但這篇文章的主旨並非寫景，其中記述的秀野堂的主人，是一位學識淵博的學者。這座園子是主人編選元詩的場所。在竹林邊、花叢旁，主人放置了書架。閒暇時，或置酒與朋友論詩，或潛心品評元詩。文中介紹了主人搜集選評元詩的過程，同時表達了自己的見解。作者認為，再漂亮的園林建築，年深日久都會荒廢，真正不朽的，能傳世的，是人的精神的精粹，是文化的精華。那些名勝古蹟也是因為蘊含着豐富的人文精神才流傳千古的。作者的這一觀點堪稱精闢。

# 看竹圖記

朱彝尊

寧都魏叔子與予定交江都[1]。時歲在辛亥[2]。明年[3]，予將返秀水。錢塘戴蒼[4]為畫煙雨歸耕圖。叔子適至，題其卷，於是叔子亦返金精之山。蒼為傳寫作看竹圖，俾[5]予作記。

予性癖好竹。甲申後[6]，避兵田舍，凡十餘徙，必擇有竹之地以居。其後客遊大同，邊障苦寒，乃藝[7]葦以代竹。既而留山東，見冶源[8]修竹數百萬，狂喜不忍去。歸，買宅長水上，曰"竹垞"。叔子過[9]予，言金精之峰十有二，其一曰翠微，易堂在其上[10]。梧桐、桃李、橘柚皆植，獨竹不生，種之，自叔子始。近乃連岡下上，無非竹者。蓋予兩人嗜好適同也。珍木之產，由兩葉至尋尺[11]，歲久而林始成。又或萎於霜，或厄於閏[12]。若夫竹，茍護其本，則末乃直上[13]，匪特有君子之守而已。其勃然興起，突怒無畏，類夫豪傑之士，拔泥塗而立加萬夫之上。

叔子居易堂讀書，且二十年，天下無知叔子者。一旦乘扁舟，下吳越，海內論文者，交推其能，若竹之解於籜[14]而驟干夫煙霄也。文章之為道，亦猶種竹然，務去其陳根，疏而壅[15]之。其生也，柯[16]葉必異，然則叔子毋徒恃其已學者而可矣！

## 注釋

1. 魏叔子：魏禧，字叔子，一字冰叔，江西寧都人。明末清初著名散文家。
2. 辛亥：康熙十年（1671）。
3. 明年：第二年。
4. 戴蒼：清代畫家。
5. 俾：使，讓。
6. 甲申：指1644年，該年明朝滅亡。
7. 藝：種植。
8. 冶源：地名，在今山東省。
9. 過：拜訪，看望。
10. 易堂：魏禧的書齋名。
11. 尋尺：八尺。
12. 厄於閏：比喻遭遇到困難的處境。
13. 末：指樹梢。
14. 籜：竹筍的外皮。
15. 壅：給植物施肥。
16. 柯：樹枝。

## 串講

寧都的魏禧和我是在江都認識的。當時是康熙十年。第二年，我將要返回故鄉秀水。錢塘的戴蒼為我畫了煙雨歸耕圖，魏禧正好來了，題寫了詩文在圖上。然後他就返回了金精山。後來戴蒼又畫了看竹圖，讓我作記。

我生性喜歡竹子。明朝亡後，我因躲避戰火，居住在鄉下，共搬了十幾次家，一定要選有竹子的地方居住。後來我客居大同，那裏是北方的邊疆，非常寒冷，於是我種植蘆葦代替竹子。後來我到了山東，看到冶源有數百萬株竹子，我心中狂喜，不忍離去。等我回來以後，買了一處住宅在長水的邊上，名曰“竹垞”。魏禧來拜訪我，說金精山有十二座山峰，其中之一名叫翠微峰，他們講學的易堂就建在那上面。那裏，梧桐、桃樹、李樹、桔子和柚子樹都能種植生長，唯獨沒有竹子。在那裏種竹子，是從魏禧開始的。近年來，那裏山上山下漫山遍野全是竹子，連綿不絕。這說明我們兩人的愛好正好一致。珍貴樹木的生長，從兩片葉子長一直長到八尺，經過很長時間才能成林。遇到天寒降霜，或氣候不好，它們便毀於一旦。但竹子不同，如果保護好它們的根，其枝葉就會扶搖直上，不僅有君子的操守。它們勃然興起，長勢迅猛。勇猛無畏，類似那些英雄豪傑，從泥土中長出，卻能夠超凡脫俗，其氣度遠在凡夫俗子之上。

魏禧住在易堂讀書快二十年了，天下沒有人知道他。如果有一天他駕着一葉扁舟，順流而下到吳越一帶，海內的文士都會推崇他的才能。就像竹子，從小小的竹筍中長出，直衝雲霄。寫文章的道理，和種竹子一樣，必須去除陳舊的根，疏鬆泥土，施足肥料，這樣它生長起來，枝葉才會與眾不同。然而，像魏禧那樣有才學的人也要博采眾家，不要只依恃已有的學識。

## 評析

這是一幅畫的題記。作者酷愛竹，文章選取了幾件事，寫對竹的喜愛，也寫了與魏禧的友情和共同的愛好。無論是在明清易代後、兵荒馬亂的年月，還是在北地竹子不能生長的地方，作者對竹子都不能忘懷。魏禧與他同好，在其講學的易堂，周圍原本沒有竹子，自魏禧種上竹子後，逐年發展，以至於漫山遍野遍佈竹林。作者熱情讚賞竹子的品格：只需要普通的泥土，不需特別的養護，就能蓬勃生長，四處生根，超凡脫俗，傲然挺立。這無疑是在讚美一種人格。作者從畫竹聯想到種竹，又從種竹想到寫文章和做人之道。指出寫文章和種竹子有相通之處，即“務去其陳根，疏而壅之”，這樣文章才能有獨到之處，顯得與眾不同。最後，作者直言不諱，向魏禧提出忠告，可見二人的友誼非同一般，確為諍友。

《墨竹圖》（元・趙孟頫繪）

# 遊晉祠記[1]

朱彝尊

晉祠者，唐叔虞[2]之祠也。在太原縣西南八里，其曰“汾東”。王曰“興安”。王者，歷代之封號也。祠南向，其西崇山蔽虧[3]。山下有聖母廟，東向，水從堂下出。經祠前，又西南有泉曰“難老”。合流分注於溝澮[4]之下，溉田千頃。《山海經》所云“懸甕之山，晉水出焉”是也。水下流[5]會於汾，地卑[6]於祠數丈。《詩》言“彼汾沮洳”[7]是也。

聖母廟不知所自始，土人遇歲旱，有禱輒應，故廟特巍奕[8]，而唐叔祠反若居其偏者。隋將王威、高君雅因禱雨晉祠，以圖高祖[9]是也。廟南有台駘祠[10]，子產[11]所云汾神是也。祠之東有唐太宗晉祠之銘。又東五十步，有宋太平興國碑[12]。環祠古木數本[13]皆千年物。酈道元謂“水側有涼堂，結飛梁於水上，左右雜樹交蔭，希見曦景”是也。自智伯[14]決此水以灌晉陽，而宋太祖、太宗卒[15]用其法定北漢。蓋汾水勢與太原平，而晉水高出汾水之上，決汾之水，不足以拔城，惟合二水，而後城可灌也。

歲在丙午[16]二月，予遊天龍之山[17]，道經祠下息焉。逍遙石橋之上，草香泉冽[18]，灌木森沉，儵魚群游，鳴鳥不已。故鄉山水之勝，若或睹之。蓋予之為客久矣！

自雲中[19]歷太原，七百里而遙，黃沙從風[20]，眼瞇不辨川谷。桑乾滹沱[21]，亂水如沸湯，無浮橋舟楫可渡。馬行深淖[22]，左右不相顧，雁門勾注[23]坡陀[24]阨隘[25]，向之所謂山水之勝[26]者，適足以增其憂愁怫鬱[27]悲憤無聊之思。已焉，既至祠下，乃始欣然樂其樂也。由唐叔迄今三千年，而台駘者金天氏[28]之裔，歷歲更遠。蓋山川清淑之境，匪直遊人過而樂之，雖神靈窟宅亦馮依焉而不去，豈非理有固然者與。為之記，不獨志來遊之歲月，且以為後之遊者告也。

## 注釋

1. 晉祠：周代晉國開國君主唐叔虞的祠廟，在今山西省太原市西南懸甕山麓。是晉水的發源處，景色優美。
2. 唐叔虞：西周時晉國的始祖，名姬虞，周成王的弟弟。唐，古地名，在今山西冀城一帶。
3. 崇山蔽虧：高大的山峰擋住了缺口。虧，缺少，這裏指山的缺口。
4. 澮：田間的大溝。
5. 水下流：水向下游流。
6. 卑：地勢低窪。
7. 沮洳：低矮潮濕的地方。
8. 巍奕：形容高大的樣子。
9. 高祖：指唐高祖李淵。
10. 台駘：水神名，管理汾水和洮水。
11. 子產：名公孫僑，春秋時政治家。
12. 太平興國：宋太宗趙炅年號（976 − 984）。

13. 本：量詞，棵，株。

14. 智伯：春秋時晉國大夫，曾與韓魏合謀攻趙襄子，趙襄子退保晉陽，智伯決汾水灌城。

15. 卒：終於。

16. 丙午：康熙五年（1666）。

17. 天龍之山：天龍山山名，在太原，山壁上有佛像。

18. 冽：寒冷。

19. 雲中：府名，治所在今山西大同。

20. 從：跟從，夾着。

21. 桑乾滹沱：桑乾、滹沱都是河名。

22. 淖：泥潭、沼澤。

23. 勾注：伸展彎曲。

24. 坡陀：不平的樣子。

25. 阨隘：險要，狹窄。

26. 勝：優美的。

27. 怫鬱：心情憂愁煩悶。

28. 金天氏：古時傳說中的帝王少昊的稱號。

## 串講

晉祠是祭祀唐叔虞的廟，在太原西南八里處。那裏是汾東，而歷代的王都把這裏叫興安。王，是歷代的封號。這座祠坐北朝南，西面有崇山峻嶺護擁着山谷，山下有聖母廟，朝東，有溪水從堂下流出。經過晉祠前，在西南面又有一處泉水名叫“難老”。合流之後分別注入田中的水溝，灌溉着千頃農田。《山海經》所說的“懸甕之山，晉水出焉”，即謂此。水往下游流，注入汾水。那裏比晉祠低幾丈。《詩經》所說的“彼汾沮洳”就是形容的此處。

聖母廟不知何時建成。當地居民每當遇到旱災，到這裏求雨總會應驗。所以廟特別高大，而唐叔祠反而像是給他作陪襯的了。隋朝的將領王威、高君雅曾經到晉祠求雨，謀算害死李淵。廟的南面有水神祠，就是子產所說的汾河之神。祠的東面有唐太宗所作的晉祠銘。再往東五十步，有宋代太平興國時的碑。圍繞這座祠有幾株古樹，都是上千年的古樹了，酈道元說的“水側有涼堂，結飛梁於水上，左右雜樹交蔭，希見曦景”就是形容的此處。自從春秋時智伯挖開這裏的河道，用大水灌了晉陽城，之後宋太祖和宋太宗也是用這個方法滅掉了北漢。這是因為汾水的地勢與太原一樣，而晉水比汾水高，所以挖開汾水不足以攻下城池，而把兩條河水合在一起，就能破城而入了。

康熙五年二月，我遊天龍山，經過晉祠，休息了一會。在石橋上漫步，瀰漫着草的香氣，泉水非常甘美，沁人心脾。灌木蔥鬱，魚群在水中游動，鳥在樹間鳴叫。我似乎看到了故鄉的山水勝景，大概因為我客居他鄉太久了吧。

我從雲中到太原，有七百里。風捲黃沙，眼睛被風吹得睜不開，看不清道路。桑乾河和滹沱河，水流奔湧，如同開水在沸騰，沒有浮橋，也沒有船能夠渡河。馬走在水中，左右不能相顧。雁門關橫亙在眼前，地勢十分險要。剛才所說的山水勝景，此時恰恰只能增添許多憂愁煩悶和悲憤無聊的心情。一路走來，到了晉祠門前，才終於感到了旅途的快樂。從唐叔到現在，歷經三千年，而水神台駘是金天氏的後裔，歷史更悠久。山水景色清幽宜人的地方，不止遊人經過會感到心曠神怡，流連忘返，即使是神靈也因為依戀美景，住在這裏而不願離去。

這豈不是理所當然。因此作這篇記，不止是為了記錄當年那次遊歷，也是為了將所歷所感告訴後人。

晉祠聖母殿侍女像

## 評析

這是一篇遊記。晉祠是我國著名的古祠，以其歷史悠久，寺廟建築饒有特色而聞名天下。文章全篇都圍繞晉祠的歷史悠久這一特點進行描寫。文章的開始寫晉祠的歷史和地理特徵。晉祠周圍的山，晉祠旁邊的泉，以及山下的聖母廟，不遠處的汾河，一一描述，有條不紊。由遠及近，晉祠邊的參天古木，唐太宗的“晉祠之銘”、宋代的碑記，處處體現這座古祠悠遠、豐富的文化內涵。同樣是突出晉祠的歷史悠久，作者旁徵博引，寫了與晉祠相關的諸多歷史事件和歷史記載，從春秋時智伯決汾水灌晉陽城到宋太宗、宋太祖襲用此法，平定北漢，可見此地在歷史上具有政治和軍事的重要性。之後作者描寫了他的一次遊歷，讓人對晉祠一帶的風光景物有了感性的瞭解。從大同到太原，一路狂風呼號，黃沙瀰漫，雁門關險要，桑乾、滹沱河奔騰呼嘯。過關艱難，渡河無橋無舟，讓人無法領略山水之勝景，反而生出鬱悶之情。而一到晉祠，景色清幽，久遠的歷史沉積下來的文化蘊涵，給人的愉悅是多方面的，作者從中得到的慰藉和愉快溢於言表。讀者從此文中，不難體會到晉祠的魅力。

# 安心之法[1]

張英

圃翁曰：予自四十六七以來，講求安心之法。凡喜怒哀樂、勞苦恐懼之事，只以五官四肢應之，中間有方寸之地[2]，常時空空洞洞[3]，朗朗惺惺[4]，決不令之入，所以此地常覺寬綽潔淨。予制為一城，將城門緊閉，時加防守，惟恐此數者闌入[5]。亦有時賊勢甚銳，城門稍疏，彼間或闌入，即時覺察，便驅之出城外而牢閉城門，令此地仍寬綽潔淨。十年來漸覺闌入之時少，不甚用力驅逐。然城外不免紛擾。主人居其中，尚無渾忘[6]天真之樂，倘得歸田遂初[7]，見山時多，見人時少，空潭碧落，或庶幾[8]矣！

## 注釋

1. 安心之法：選自《聰訓齋語》卷一。標題為編者加。
2. 方寸之地：指內心。
3. 空空洞洞：空虛寬敞。
4. 朗朗惺惺：清醒、明白。
5. 闌入：混入、摻雜進去，此處意為擅自進入不應進去的地方。
6. 渾忘：全然忘卻。
7. 遂初：滿足當初的願望。
8. 庶幾：差不多的意思。

## 串講

我自從四十六、七歲以來，探究讓心境安寧的方法。凡是喜怒哀樂和辛苦恐懼的事情，只以五官和四肢來應付，心裏保持空曠和清醒，不讓雜念侵入，這樣心中總感覺豁達、純淨。我將心靈比作城池，把城門關緊，時時嚴加防守，生怕那些紛繁的雜念侵入。然而那些喜怒哀樂之類的情感有時來勢很猛，城門稍微有所疏忽，它們就闖了進來。一旦察覺，就將其驅趕出城，再將城門緊閉，讓心中仍然保持寬敞、純潔。十年來，漸漸覺得雜念侵入得少了，不需要經常用力驅趕。可是世上紅塵滾滾，總是有種種誘惑和干擾，身在其中，怎麼可能完全拋卻人之常情。如果能夠按自己的願望辭官還鄉，多看看山，少看些人，大概心裏會更清靜吧。

## 評析

張英（1637－1708），字敦復，號夢復，樂圃，清代名臣、文學家。安徽桐城人，先後擔任禮部侍郎，兵部侍郎，禮部尚書、文華殿大學士等官職，頗受康熙皇帝重視。張英所作《聰訓齋語》在清代流傳甚廣，曾國藩在給其子曾紀澤的一封信中說：“《顏氏家訓》作於亂離之世，張文端（按：張英死後謚文端）《聰訓齋語》作於承平之世，所以教家者極精。爾兄弟各覓一冊，常常閱習，則日進矣。”

安心之法實際上即性情修養、品德修養之法，也是健身之法。要保持內心空闊、心態平和，可不是件容易的事情。將心胸比喻為一座城，要嚴守城門才能阻止怒、哀、驚、恐、沮喪、嫉妒等不良情緒的侵入，十分形象。做到這一點，普通人可以感覺生活平靜、幸福，有利於身心健康。對於位高權重的官員來說，則更有不同的意義。官場上，明爭暗鬥，危機四伏，有多少令人憤怒、憂慮、恐懼的事情，終日纏繞。縱然遇到讓人高興的事情，也怕是別有用心之人投其所好，拉你下水，需要提防。所以為官者不得不時時警醒，事事小心。要保持清正明智，就得心胸磊落，行事豁達，以減少雜念的侵入。不過，作者很清楚，只有辭官還鄉，遠離權力中心，遠離塵世喧囂，才有可能徹底擺脫雜念困擾，真正做到心靜如水。

# 讀書須明窗淨几[1]

張英

讀書須明窗淨几，案頭不可多置書。讀文作文皆須凝神靜氣[2]，目光炯然[3]，出文與題之上，最忌墜入雲霧中，迷失出路。多讀文而不熟，如將[4]不練之兵，臨時全不得用，徒疲精勞神，與操空拳者無異。作文以握管[5]之人為大將，以精熟墨卷百篇為練兵，以雜讀時藝[6]為散卒，以題為堅壘。若神明[7]不爽朗，是大將先墜雲霧中，安能制勝？人人各有一種英華光氣，但須磨練始出。譬如一草一卉，苟深培厚壅[8]，盡其分量，其花亦有可觀，而況於人乎？況於俊特之人[9]乎？天下有形之物，用則易匱[10]，惟人之才思氣力，不用則日減，用則日增。但做出自己聲光[11]，如樹將發花時，神壯氣溢，覺與平時不同，則自然之機候[12]也。讀書人獨宿是第一義，試自己省察[13]。館中獨宿時，漏下二鼓[14]，滅燭就枕。待日出早起，夢境清明，神酣氣暢，以之讀書則有益，以之作文必不潦草枯澀[15]，真所謂一日勝兩日也。

## 注釋

1. 讀書須明窗淨几：選自《聰訓齋語》卷二。標題為編者加。
2. 凝神靜氣：聚精會神，心平氣和。
3. 炯然：形容明亮。

4. 將：統帥、指揮。

5. 握管：執筆。

6. 時藝：即時文、八股文。

7. 神明：指人的精神。

8. 壅：在植物根部培土或施肥。

9. 俊特之人：德才出眾的人。

10. 匱：窮盡、缺乏。

11. 聲光：此處指文章的風采。

12. 機候：適宜的時機。

13. 省察：自省、反思。

14. 二鼓：指夜晚二更時分。

15. 枯澀：指文思呆滯遲鈍。

## 串講

讀書應該在窗明几淨的環境中，桌上不要多放書。讀書和寫作都要聚精會神、平心靜氣、目光集中。寫出的文字要緊扣主題，最忌諱的是漫無邊際，不知所云。文章讀得多，但沒有深刻理解，就像指揮沒經過訓練的軍隊，到時完全不能頂用，白費精神，和赤手空拳的人沒什麼區別。寫文章時，執筆者好像大將，精讀的名篇好像練兵，博覽的雜書好像零散的士卒，題目好像堅固的堡壘。如果思路不清晰，就像大將陷入雲霧裏，怎麼能夠取得勝利呢？每個人都有與眾不同的靈感，但要經過磨練才能顯露出來。比如一花一草，如果精心培育，澆水施肥，讓它充分生長，開出花來才會美麗，何況人呢？更何況才智出眾的人呢？世界上有形之物，都是越用越少，唯獨人的智慧和氣力，是不用則日益減少，使用則與日俱增。要顯露出文采，就如同樹木將要開花時，精力旺盛，神采飛揚，與平時不同。讀書的人最好獨宿，利於思考。獨宿時，二更即睡，清晨日出即起，這時頭腦清醒、精神爽朗，在這種狀態下讀書會有收穫，寫文章也會文思泉湧。真可謂一天勝過兩天。

## 評析

此篇短文是讀書作文的經驗之談。主旨是強調讀書、寫作要全神貫注，排除干擾。首先強調神與氣在讀書寫作中的決定作用。開頭即指出讀書時要窗明几淨，書桌上別放太多的雜書。看起來似乎很瑣碎、無關緊要，實際這是從細微處入手，營造有利於思考的氛圍。人們都有這樣的體會，讀書或寫作這種腦力勞動，需要精神高度集中，稍微有點干擾，精彩的思路和想法會稍縱即逝。所以盡量減少干擾是最起碼的條件。文中還指出勤學苦練對提高寫作技能有重要意義。用了兩個比喻：帶領不經過訓練的軍隊不能攻克堡壘；精心培育的花草能盡展魅力。人的智力和體力都是越用越強，勤奮努力就一定能顯露出個人特有的才華。精神狀態非常重要，窗明几淨也好，獨睡早起也好，都是為了神清氣爽，為了神酣氣暢，也就是有利於達到最佳的精神狀態。這樣讀書寫作才能取得事半功倍的效果。其實何止是讀書寫作呢？做其他任何事情，只要專心致志，勤學苦練，都能把自己的才華淋漓盡致地發揮出來，也一定能取得成就。

# 門無雜賓[1]

張英

圃翁曰：古人美王司徒[2]之德，曰“門無雜賓”，此最有味。大約門下奔走之客，有損無益。主人以清正、高簡、安靜為美，[3]於彼何利焉？可以啖之以利[4]，可以動之以名[5]，可以怵[6]之以利害，則欣動[7]其主人，主人不可動，則誘其子弟，誘其僮僕。外探無稽之言[8]，以熒惑[9]其視聽；內泄機密之語，以誇示其交遊。甚且以偽為真，將無作有，以徼幸[10]其語之或驗，則從中而取利焉。或居要津[11]之位，或處權勢之地，尤當遠之益遠也。又有挾[12]術技以遊者，彼皆藉一藝以售其身，[13]漸與仕宦相親密，而遂以乘機遘會[14]，其本念決不在專售其技也。挾術以遊者，往往如此。故此輩之樸訥迂鈍[15]者，猶當慎其晉接[16]。若狡黠便佞[17]，好生事端，蹤跡詭秘者，以不識其人，不知其姓名為善。勿曰：我持正，彼安能惑我；我明察，彼不能蔽[18]我。恐久之自墮其術中，而不能出也。

## 注釋

1. 門無雜賓：選自《聰訓齋語》卷一。標題為編者加。
2. 王司徒：指晉王渾。門無雜賓：家裏沒有亂七八糟的客人。
3. 清正：清白正直。高簡：清高簡約。
4. 啖之以利：用利益來引誘。啖，用利益引誘。

5. 動之以名：用名譽打動。

6. 怵：恐懼。作動詞，嚇唬，使其害怕。

7. 欣動：因為愉悅而動心。

8. 無稽之言：無根據、無法核實的話。

9. 熒惑：迷惑。

10. 徼幸：即僥倖。徼，通“僥”。

11. 要津：本指重要的江河渡口。比喻顯要的職位。

12. 挾：懷着，藏着之意。

13. 藉：憑藉。售：出賣，推銷。

14. 遘會：巴結，攀附。

15. 樸訥迂鈍：樸訥，質樸而言語木訥。迂鈍，迂拙遲鈍。

16. 晉接：接近，接觸。

17. 狡黠便佞：狡黠，詭詐。便佞，巧言善辯阿諛逢迎。

18. 蔽：蒙騙。

## 串講

古人讚美王渾的品德，說他“門無雜賓”，這很是耐人尋味。大多數奔走來往的賓客是有害無益的。主人磊落正直，清高簡約，那些客人對他有什麼好處呢？那些客人用利益、名譽來利誘主人，甚至用利害來恐嚇，想讓主人動心。若主人不被利誘，就誘惑其子弟，以及僕人。從外面打探一些小道消息來混淆視聽，從主人那裏探聽到一些事情，到外面去說，以誇耀其交遊；甚至以假當真、無中生有，指望僥倖獲利。身居顯要位置的人，尤其應該離這種人越遠越好。還有些身懷一技之長的人，四處奔走，推銷自己的技藝，想與官員接近，找機會拉關係，其用意決不僅僅在於兜售技藝。所以對這些表面樸實、木訥的人，更要當心。對那些狡黠善辯、惹事生非、行動可疑的人，乾脆不要認識，也不要知道其姓名。不要說，我行得正，他們迷惑不了我；我明察秋毫，他們蒙騙不了我。恐怕時間長了會不知不覺陷入其圈套中，不能自拔。

## 評析

本篇談的是對交友的見解。對各種賓客的心術進行了刻畫與揭露，可謂入木三分。社會生活中，不僅有權有勢者會有人主動去結交，有名望、有資財、有成就的人都可能面對相似的情形。就是普通人，也有與什麼樣的朋友交往的問題。所謂近朱者赤，近墨者黑。古今中外的例證不勝枚舉。從一個人的家中有無雜七雜八的賓客，可以判斷此人的格調及品德，正所謂物以類聚，人以群分。如果被壞人拉下了水，恐怕還是由於自身的原因。俗話說，蒼蠅不叮無縫的雞蛋，防微杜漸很重要。文章最後的提醒非常中肯，不可對自己的辨別能力和抵抗能力太過自信。大凡有權、有勢、有錢、有名的人容易自以為是，其結果往往是中了圈套而不能自拔。

# 順境與逆境[1]

張廷玉

處順境則退一步想，處逆境則進一步想，最是妙訣[2]。余每當事務叢集[3]、繁冗難耐時[4]，輒自解曰[5]：“事更有繁於此者，此猶未足為繁也。”則心平而事亦就理[6]。即祁寒[7]溽暑[8]，皆作如是想，而畏冷畏熱之念，不覺潛消[9]。

## 注釋

1. 順境與逆境：選自《澄懷園語》卷一。標題為編者加。
2. 妙訣：靈驗的訣竅。
3. 事務叢集：諸事匯集。
4. 繁冗：繁瑣龐雜。
5. 自解：自我安慰，排解。
6. 就理：有條不紊。
7. 祁寒：嚴寒，極冷。祁，大。
8. 溽暑：潮濕悶熱的夏天。
9. 潛消：暗暗消失。

## 串講

人處在順境中時應該退一步想，而身在逆境中則可進一步想。這是個絕妙的竅門。我每逢事務堆積如山、繁忙不堪的時候，就自我排解說，還有比這更繁忙的呢，這還不算最難對付的。這樣一想，心情就平和了，事情也就處理得有條不紊。天氣嚴寒或酷熱的時候我也都是按這個思路，於是，怕冷或怕熱的感覺就不知不覺地消失了。

## 評析

張廷玉（1672－1755），字衡臣，號硯齋，張英次子。康熙三十九年進士。清代名臣，文學家，在清代康熙、雍正、乾隆三朝，他歷任禮部尚書、戶部尚書、文淵閣大學士、吏部尚書等職，他的文章與政治聲望都聞名一時。得益於其父張英的言傳身教，張廷玉將其多年為學、處世、為官的感受，寫進了《澄懷園語》中。

這個妙訣確實是調節心態的好辦法。人的情緒受外界環境的影響，這難以避免，但與自己的處世態度也極有關係。外部條件是客觀存在，如繁瑣事務，如惡劣天氣，你着急也罷、怨恨也罷，都是不大可能改變的，倒不如自我寬慰，平和心態，泰然處之。這樣不僅對自己的身心有利，也有利於處理好工作，以及應付逆境。處在順境中能夠退一步想，同樣是為了保持良好的心境，打消驕傲自滿或貪心不足之類的念頭。順境中飄飄然，逆境中憤憤然，這些心理狀態都應該理智地加以改變。

# 為人處世與飲酒[1]

張廷玉

人以必不可行之事來求我，我直指其不可而謝絕之，彼必怫然[2]不樂。然早斷其妄念[3]，亦一大陰德也。若猶豫含糊，使彼妄生覬覦[4]，或更以此得罪[5]，此最造孽[6]。人之精神力量[7]，必使有餘於事而後不為事所苦。如飲酒者，能飲十杯，只飲八杯，則其量寬然有餘；若飲十五杯，則不能勝矣。

## 注釋

1. 為人處世與飲酒：選自《澄懷園語》卷一。標題為編者加。
2. 怫然：神情惱怒。
3. 妄念：指不切實際或不正當的想法。
4. 覬覦：非分地企圖得到某物，即想得到不該得到的東西。
5. 得罪：受到懲處。
6. 造孽：遺禍、作惡。
7. 精神力量：精神與力量。

## 串講

如果有人來求我辦肯定辦不了的事情，我就直言相告從而加以謝絕。來人必然不高興，但是我讓他及早打消了幻想，也是積了陰德。如果猶豫不決，含糊其辭，讓他無謂地等待、妄想，甚至因此獲罪，那才真是害了人家。人的精神力量必須對所做的事情能夠應付有餘，才不會被所做之事拖累或為之苦惱。比如喝酒的人，能喝十杯，只喝八杯，則他的酒量綽綽有餘。假如喝十五杯，必受不了，會為之所累。

## 評析

生活中，經常會碰到有事求人幫忙的情況。有的事應該幫，有些事情則不能幫，幫了反而害人害己。特別是手中掌握一定權力的官員，別人有求於他，大多是要利用他手中的權力。什麼事情可以做，什麼事情不能做，當然更馬虎猶豫不得。當斷不斷，反受其亂。如果礙於情面而濫用權力，不僅會害了他人，也會害了自己，以至危害到公眾和社會。文中以喝酒為例，說明三思後行，量力而行的道理，深入淺出，讓人警醒。酒席上經常有人在熱鬧之中一時高興喝過了量，洋相百出。如果因為酒力不支而吃苦頭，睡上一、兩天就能緩過來，但倘若在別的大事上作出不自量力或違反規則的決斷，則可能鑄成大錯，遺害無窮。

# 說“恕”[1]

張廷玉

凡人看得天下事太容易，由於未曾經歷也。待人好為責備[2]之論，由於身在局外也。“恕”[3]之一字，聖賢從天性中來；中人以上者，則閱歷而後得之；姿秉庸暗者[4]，雖經閱歷，而夢夢[5]如初矣。

## 注釋

1. 說“恕”：選自《澄懷園語》卷二。標題為編者加。
2. 責備：要求別人盡善盡美。
3. 恕：設身處地體諒他人，寬容厚道。
4. 姿秉庸暗者：天資不高的人。“姿”通“資”。姿秉，天資。庸暗，平庸而糊塗。
5. 夢夢：糊塗的樣子。

## 串講

一般人總是把世上的事情看得很容易，這是因為沒有親身經歷過的緣故。對待別人喜歡批評責備，是因為身為旁觀者的緣故。“恕”這個字的真諦，聖賢天性中就包含；智力中等以上的人，閱歷豐富以後也會覺悟到；而愚蠢的人，即使經歷得再多，也悟不出這個道理，達不到“恕”的境界。

## 評析

“恕”字的意義不僅僅是待人以寬。它包含寬宏大度、平等謙讓、溫和仁愛等等。對待別人能夠設身處地、將心比心，而不是吹毛求疵、求全責備。大家都這樣做，則有助於建立良好的人際關係，營造寬鬆、和諧的社會環境。進一步講，恕，不僅是善待別人，也是善待自己。恕的根本含義是寬容。恕是一種修養，一種胸懷。對待別人愛求全責備的人，根本的毛病是凡事總希望按照自己的意願和想像，一遇到與自己的想像不同的情形，就會指責別人。但任何事情都是複雜的，每個人的能力和境況都不一樣，主觀行事，只能說明自己見識及經驗欠缺。作者認為，要做到寬容，需要較高的修養，聖賢天生就具備這種品行。然而俗話說，人非聖賢，大多數普通人要經歷豐富之後才能達到這個境界。還有少數人，天性愚鈍，無論經歷多少，總是不能寬以待人。所以，“恕”，確是一種很高的境界。

# 小港渡者[1]

周容

庚寅[2]冬，予自小港欲入蛟川城[3]，命小奚[4]以木簡[5]束書從。時日西沈[6]山，晚煙縈樹，望城二里許，因問渡者尚可得南門開否，渡者熟視小奚，應曰："徐行之尚開也，速進則闔。"予慍[7]為戲。趨行及半，小奚仆[8]束斷書崩，啼未即起。理書就束，而前門已牡下[9]矣。余爽然，思渡者言近道。

## 注釋

1. 本篇選自王文濡所編《續古文觀止》卷一。
2. 庚寅：此處指清順治七年（1650）。
3. 蛟川城：即浙江鎮海縣，因鎮海縣東海中有蛟門山，故名。
4. 奚：古代指奴僕，被役使的人。
5. 木簡：木版。
6. 沈：即沉，落下。
7. 慍：怒、怨恨。
8. 仆：向前跌倒。
9. 牡：門閂，牡下，鎖門。

## 串講

庚寅年冬天，我從小港去蛟川城，讓小僮僕用木版捆着書跟着我。當時已日落西山，傍晚的煙霧繚繞四野，離城還有二里左右。於是問渡者，能否在南門開着時趕到。渡者仔細看了看僮僕，回答說："慢慢走還開着，走太快就關了。"我以為他在開玩笑，很不高興。我們緊趕慢趕地走了一半路時，僮僕摔了一跤，捆書的繩斷了，書散了一地。僮僕哭了一會沒有馬上起來，等把書清理好，城門已關上了。我恍然大悟，回想渡者的話蘊含哲理。

## 評析

用生活中的平凡小事來說明欲速不達的道理，寫得妙趣橫生。主人急於在城門關閉之前進城裏去，詢問渡者時，得到是讓他感到莫名其妙的回答：若慢慢走城門還開着，走得快了就關了。真是奇怪，是說錯了？還是開玩笑？其實都不是，這是千真萬確的事實。為什麼快了反而會事與願違呢？因為容易忙中出錯，這個道理借渡者之嘴裏說出來，含義頗深。主人是個讀書人，渡者常年在河裏行船，大約沒什麼文化。對於哲理的認識，前者來自書本，後者則多半來自生活中的切身體驗。正所謂實踐出真知。渡者每天駕船與河水拚搏，深知只有審時度勢、循序漸進才能達到目的，盲目求快反而會適得其反。從某種意義上說，生活與河水一樣，表面看起來是平靜的，實際上蘊藏着許多不確定的因素。如果心急蠻幹，可能會碰到意料不到的麻煩。渡者在回答問題前先仔細看看小僕人，說明他看似玩笑的答話，是經過認真觀察和深思熟慮的。此渡者有些智者的派頭，他並不直接告訴讀書人欲速不達的道理，答話不緊不慢，讓讀書人自己去體會。可惜這位主人只顧趕路，根本不考慮僕人是否太瘦小，書是否太重，結果吃了苦頭，也應驗了渡者的話。讀到最後，讀者會啞然失笑，會恍然大悟：生活真是會告訴人們很多東西。

# 題畫[1]

金農

先民之言曰：同能不能獨詣[2]。又曰：眾毀不如獨賞。獨詣可求諸己，獨賞罕[3]逢其人。余於畫竹亦然。不趨時流，不干名譽，叢篁[4]一枝，出之靈府[5]。清風滿林，惟許白練雀飛來相對也。

## 注釋

1. 本篇是金農為自己的畫作的題記。金農（1687－1764），字壽門，號冬心，是清代康熙、雍正、乾隆時期出現的揚州畫派——也即"揚州八怪"中重要成員之一，善畫梅、蘭、竹、山及人物、佛像、馬等。
2. 詣：學問或技藝所達到的程度。
3. 罕：稀少。
4. 篁：竹林，泛指竹子。
5. 靈府：心靈。

## 串講

過去有人說，學習大家都會的技能，達到一般的水平，不如學有專長，獲得精深的造詣。又說，跟着大家詆毀人，不如獨具慧眼，欣賞別人的長處。學有所長，技藝達到專精的程度，可以憑藉自己的努力來實現，但要獨具慧眼，卻很難。我畫竹也是這樣，不趨附時尚，不追逐名譽，畫竹一枝，出自心靈。在清風吹拂的樹林中，只許飛雀與我相對。

## 評析

題記表明畫家對藝術的追求以及高潔的品格。掌握專門的技藝並且達到極高的造詣，是人生價值的一種體現。然而藝術成就高有時並不一定能得到同時代多數人的欣賞，所謂曲高和寡也。任何一位見解獨特、在藝術上獨具品味的藝術家都有可能受到世俗的排斥，真正具有鑒賞力的人並不很多。作者是當時成就很高的畫家，超凡脫俗，高標獨立。不迎合時尚潮流，不計較名利得失，堅持自己的藝術追求，相信總會有獨具慧眼的知音。惟有對人生世事有深刻領悟，對自己的藝術造詣有非凡自信的人，才可能做到這一點。古今中外不乏這樣的例子，藝術家的精湛技藝沒有給他帶來任何名利地位，生前默默無聞甚至窮困潦倒，而幾十年、數百年後。他們留下的作品成為價值連城的藝術珍品。如果這些藝術家在世時隨波逐流，趨炎附勢，很可能不會給後人留下如此珍貴的文化瑰寶。今天在讚歎他們的傑出的藝術才華的同時，更應感佩他們卓越的人格。

# 鄭板橋[1]說畫

鄭燮

江館[2]清秋，晨起看竹，煙光日影露氣，皆浮動於疏枝密葉之間。胸中勃勃遂有畫意。其實胸中之竹，並不是眼中之竹也。因而磨墨展紙，落筆倏[3]作變相，手中之竹又不是胸中之竹也。

## 注釋

1. 鄭板橋：鄭燮，字克柔，號板橋，乾隆元年進士。著名畫家。
2. 江館：江邊的館舍、住處。
3. 倏：極快地。

## 串講

秋天，在江邊館舍，早晨起來看竹，煙光日影露氣在竹林的疏枝密葉之間飄浮着，我胸中便升起勃勃興致，有了畫竹的慾望。其實胸中的竹子，並不是眼中看到的竹子。當磨好墨，鋪展紙後，落筆時忽然又有變化，筆下畫出來的竹子又不是胸中的竹子。

## 評析

鄭燮（1693—1765）字克柔，號板橋，興化（今江蘇興化）人。清代乾隆元年（1736）進士，曾任山東范縣、濰縣知縣。他同情民生疾苦，壓制豪強，後因辦理賑濟等事得罪豪紳而罷官。鄭燮能詩善畫，尤工書法，人稱“三絕”，也是“揚州八怪”之一。

竹（清・鄭燮繪）

小品文中鄭板橋談畫竹的感受，揭示了藝術創作的普遍規律。藝術家的創作靈感來源於平凡的日常事物中。畫家筆下的竹，來自眼中的竹。看似普通的竹，給了畫家以千姿百態的意象，這就是所謂“胸中的竹”。憑藉自己的創作激情和技能完成作品，這就是畫中的竹了。眼中、胸中、畫中的事物為什麼是不同的呢？這正是需要深切領會的。藝術不同於實際生活，如果只是把看到的事物逼真地描摹出來，那眼中、胸中、畫中的竹就全都一樣了，那即使畫得再像，仍然擺脫不了匠人之氣。真正的藝術家賦予觀察對象以靈性，得其真味，爾後傳達出其神韻。所以眼中、胸中、畫中的竹大不相同。這三者相輔相成、互相作用。敏銳而獨特的觀察產生創意，創意體現於作品，最終藝術家的功力又左右其才思的表現。即使是同一個藝術家表現同一事物，由於環境的不同、心境的不同，眼中、胸中、作品中的形象又會各不相同。正因為如此，才會有千變萬化、千姿百態的藝術品讓人驚歎不已，百般玩賞。鄭板橋對此深有所悟，所以他在詩、書、畫諸領域都取得了不凡的成就。

# 題《竹》

鄭燮

予家有茅屋二間，南面種竹。夏日新篁[1]初放，綠蔭照人，置一小榻[2]其中，甚涼適[3]也。秋冬之際，取圍屏骨子，斷去兩頭，橫安以為窗欞[4]，用勻薄潔白之紙糊之。風和日暖，凍蠅觸窗紙上，冬冬作小鼓聲。於時，一片竹影凌亂，豈非天然圖畫乎！凡吾畫竹，無所師承，多得於紙窗粉壁，日光夜影中耳。

## 注釋

1. 篁：竹林，泛指竹子。
2. 榻：床。
3. 適：舒服。
4. 欞：窗戶的格子，此處指窗戶上構成窗格子的木條。

## 串講

我家有茅屋兩間，南面種了竹子。夏天新竹長出，綠蔭掩映，放一張小榻在綠蔭中，很是涼爽舒適。秋冬之際，用圍屏的骨子，斷去兩頭，橫安在窗子上作為窗欞，然後用勻薄潔白的紙糊上。風和日暖的日子裏，受了凍的蒼蠅撞在窗戶紙上，咚咚作響，像敲擊小鼓的聲音。這時，一片竹影凌亂地投在窗戶上，難道不是天然圖畫嗎？凡是我畫的竹子，沒有師承誰，多是從紙窗牆壁、日光月影中得到靈感。

## 評析

小品文描繪自家周圍一年四季的不同景致及畫竹的感受。夏天，在竹林中放一張小床，多麼舒爽宜人！然而，如果沒有寧靜的心境是享受不到那份清涼的。冬天，蒼蠅撞在窗戶上發出敲小鼓般的聲響，倘若沒有安寧的心態也是難得注意到的。這兩個細節反映出作者遠離塵囂，安於恬淡的心態。身居茅屋，坐對修竹，修養心神，但作者並非無所事事，虛度光陰，他不斷從自然界的細微變化中捕捉上天孕育的“美”，從而激發自己無盡的藝術想像。日光月影將竹林的自然形態透射到粉白的牆上和窗戶紙上，在作者眼前幻化出千姿百態，讓人體味到無窮新意。作者說得很清楚，所有的畫作，絕不是名師高人教出來的，它們全都來自於大自然的啟迪，來自大自然與人的心智的碰撞。性格上不隨流俗，技法上不落俗套，鄭板橋的畫風格清新，獨特雋永，此正可謂文如其人，畫如其人。

竹（清・鄭燮繪）

# 遊萬柳堂記

劉大櫆

昔之人貴極富溢，則往往為別館[1]以自娛，窮極土木之工，而無所愛惜。既成，則不得久居其中，偶一至焉而已；有終身不得至者焉。而人之得久居其中者，力又不足以為之。夫賢公卿勤勞王事，[2]固將不暇於此，而卑庸者類欲以此震耀其鄉里之愚。

臨朐相國馮公[3]，其在廷時無可訾亦無可稱，[4]而有園在都城之東南隅[5]。其廣三十畝，無雜樹，隨地勢之高下，盡植以柳，而榜[6]其堂曰"萬柳之堂"。短牆之外，騎行者可望而見。其中徑曲而深，因[7]其窪以為池，而纍[8]其土以成山，池旁皆蒹葭[9]，雲水蕭疏可愛。

雍正[10]之初，予始至京師，則好遊者咸為予言此地之勝。一至，猶稍有亭榭。再至，則向之飛樑架於水上者，[11]今欹[12]臥於水中矣。三至，則凡其所植柳，斬焉無一株之存。

人世富貴之光榮，其與時升降，蓋略與此園等。然則士苟有以自得，宜其不外慕乎富貴。彼身在富貴之中者，方殷憂[13]之不暇，又何必朘民之膏以為苑囿也哉！[14]

## 注釋

1. 別館：即別墅。住宅之外建造的供遊玩休息的園林住所。
2. 公卿：原為三公九卿的簡稱，此處泛指高官。王事：國家的事務。
3. 臨朐相國馮公：即清朝康熙年間大學士馮溥，馮是山東臨朐人。
4. 在廷時：在位時。訾：指責，非議。稱：稱道。
5. 隅：角。
6. 榜：題名，題署。
7. 因：利用，憑藉。
8. 纍：堆積，積聚。
9. 蒹葭：蘆葦。
10. 雍正：清世宗胤禛年號（1723－1735）。
11. 向：以往。飛樑：高的橋樑。
12. 欹：歪斜，傾斜。
13. 殷憂：深憂。殷，深切。
14. 朘：剝削。苑囿：園林。

## 串講

過去的人富貴到了極點，就往往建造別墅供自己遊樂，竭心盡力讓園林建築精美，而不顧忌花費多少。別館建成後，並不能在裏面久住，偶而去一下而已；有的人一輩子都不能去一次。而可以在裏面久住的人，又沒有能力建造這樣的宅院。真正優秀正派的官員為國事辛勤工作，根本沒有功夫考慮這些事，而卑俗的官員都想以此向家鄉那些無知的人炫耀。

臨朐相國馮溥，在位時無可非議也無所稱道，有園在京城的東南角上。這個園佔地三十畝，園中沒有雜樹，隨着地勢的起伏，全部種的柳樹，因而題名“萬柳之堂”。矮牆外，騎馬而行的人可以望見園內的景色。園中的小路曲折而幽深，利用窪地建成水池，堆積泥土造成小山，池旁都是蘆葦，天上的浮雲和池水互相映照，十分可愛。

雍正初年，我初到京城，喜歡遊覽的人都告訴我這個園如何優美。我第一次去，看到裏面還有些亭閣水榭。第二次去，看到原先架在水上的橋樑，已斜倒在水中。第三次去，園中所種的所有柳樹，一棵都不剩了。

人生富貴帶來的榮耀，隨着時間的推移，有升有降，大概和這個園的榮衰差不多。那麼，士大夫中有識見的人，應該不羨慕別人的富貴。身在富貴之中的人，憂慮還來不及，又有何必要用百姓的血汗建造園林呢！

## 評析

劉大櫆（1698—1779）字才甫，一字耕南，號海峰，桐城（今安徽桐城）人。曾參加科舉考試，不中。終生仕途失意。60 歲以後得官安徽黟縣教諭，不久告老還鄉。他師從方苞，又是姚鼐的老師，是清代著名散文流派桐城派的中堅人物，“桐城派三祖”之一。

萬柳堂是清代康熙年間大學士馮溥修建的一處私家園林，位於北京廣渠門內南側。據記載，康熙時開博學鴻詞科，待詔者常集會於此園。清代不少文人都有文章記述萬柳堂的秀麗景色，使之一度成為京城名園。本篇文章從題目看似乎是一篇遊記，但作者着眼點並非記遊，而是借題發揮。文中記遊寫景的文字只有寥寥數語，卻已描繪出了萬柳堂中景致的清爽幽雅。文章的重點在於作者三次遊覽萬柳堂的經歷。眼看着萬柳堂一次比一次衰敗，先是亭倒橋塌，最後竟連一株柳樹都沒有了，萬柳堂終於名存實亡。文章以議論開篇，以議論結束，着眼點在於指斥那些無所顧忌的權貴。這些人大肆揮霍資財，建造別墅花園，有的不是為了居住，甚至也並不是為了享受——他們修好了園林甚至不曾去過，他們只是為了向無知淺薄的人炫耀，顯示自己的身份。他們不知道富貴不可恃，物極必反，盛極必衰，樂極生悲的道理。文中對那些達官顯貴的揭露入木三分，頗有“刺世”的鋒芒。

# 黃生借書說

袁枚

黃生允修借書，隨園主人[1]授以書而告之曰：

書非借不能讀也。子不聞藏書者乎？七略四庫，[2]天子之書，然天子讀書者有幾？汗牛塞屋[3]，富貴家之書，然富貴人讀書者有幾？其他祖父積、子孫棄者無論焉。

非讀書為然，天下物皆然。非夫人之物而強假[4]焉，必慮人逼取而惴惴[5]焉摩玩之不已，曰："今日存，明日去，我不得而見之矣！"若業[6]為吾所有，必高束焉，度藏[7]焉，曰："姑俟異日觀"云爾。

余幼好書，家貧難致。有張氏，藏書甚富，往借，不與，歸而形諸夢。其切如是，故有所覽，輒省記。通籍[8]後，俸[9]去書來，落落大滿，素蟫[10]灰絲，時蒙卷軸，然後歎借者之用心專而少時之歲月為可惜也。

今黃生貧類予，其借書亦類予。惟予之公書與張氏之吝書若不相類。[11]然則予固不幸而遇張乎？生固幸而遇予乎？知幸與不幸，則其讀書也必專，而其歸書也必速。

為一說，使與書俱。

## 注釋

1. 隨園主人：作者自稱。作者在南京的居所名隨園。
2. 七略：書名。漢代劉歆撰，為我國最早的圖書目錄分類著作。分

《輯略》、《六藝略》、《諸子略》、《詩賦略》、《兵書略》、《術數略》、《方技略》七部，總稱《七略》。四庫：古代宮廷藏書的地方。《新唐書·藝文志一》載：唐代“兩都各聚書四部，以甲、乙、丙、丁為次，列經、史、子、集四庫”。

3. 汗牛塞屋：形容書籍極多。書放在屋裏，屋子被塞滿。出去時，用牛運書，牛累得出汗。
4. 強假：硬向人借。
5. 惴惴：憂慮害怕的樣子。
6. 業：已經。
7. 庋藏：擱置，收存。
8. 通藉：指入仕途做了官。
9. 俸：舊時官員的薪金。
10. 素蟫：咬衣服和書籍的銀白色的小蟲，即蠹蟲。
11. 公書：願意把書借給他人看。吝書：捨不得將書借與他人。

## 串講

黃允修找我借書，隨園主人交給他書時告訴他說：

書不是借的就不會專心去讀。你沒有聽說藏書的人嗎？《七略》、《四庫》是皇帝的藏書，然而讀書的皇帝有幾個？書籍多得塞滿了屋子，那是富貴人家的藏書，然而富貴人家讀書的有幾人？其他的祖輩積攢，子孫丟棄的情況就不消說了。

不僅書是這樣，天下的任何事物都是這樣。不是自己的東西而勉強借來，必然擔心別人索回，因而感到不安，把玩不已。心裏說：“今天在我這，明天就還回去了，我再沒有機會見到了！”如果已經為我所有，必然束之高閣，收存起來，說：“姑且等到以後再看吧。”

我從小喜歡看書，家裏窮難以得到。有個姓張的人藏書很多，我去找他借，他不給，回來後夢裏出現借書的情形，借書的慾望迫切到如此程度。所以，凡是讀過的書，總是去思考，記誦。做官後，有俸祿買書，屋裏堆得滿滿的，蠹蟲灰塵不時地蒙在書卷上，而後，我感歎借書的人讀書專心，而少年時代的歲月是可珍惜的。

袁枚墨跡

現在，黃生的貧窮和我當年相似，他借書也同我相似。只有我願把書借給別人看和張氏捨不得借書給人不一樣。然而我總是不幸遇到張某人嗎？黃生總會有幸遇到我嗎？知道幸與不幸，則讀書必定專心，還書也必定快。寫了這篇文章和書一起交給黃生。

## 評析

袁枚（1716—1797）字子才，號簡齋，錢塘（今浙江杭州）人。乾隆四年（1739）進士，授翰林院庶吉士，乾隆七年改放外任，在溧水、江浦、沭陽、江寧等地任知縣。乾隆十三年辭官，定居江寧（今江蘇南京），在小倉山隋氏廢園築園林，改名隨園，世稱隨園先生。他是清代乾隆、嘉慶年間具有代表性的詩人之一，與趙翼、蔣士銓並稱乾隆三大家。論詩主張抒寫性靈，不拘一格，創性靈說。他不僅詩歌具有獨特風格，散文也有不少名篇。

青年黃允修來借書，作者給他寫了這篇文章，將書與文章一併交給他。文章開頭語出驚人："書非借不能讀也。"接着說"天子讀書者有幾"，"富貴人讀書者有幾"，又是驚人之語。然後才娓娓道來，述說常見之例。然後又聯繫自己，談他當年借書苦讀和後來藏書不讀的經歷。通過自省，說明借書讀的好處，以此鼓勵黃生珍惜時光，"讀書必專"。文章流露出對青年學子好學不怠的學習精神的快慰之情。

# 不繫舟賦有序

袁枚

望山尚書再蒞[1]兩江[2]之四年，政行化和，風物恬美。署之西，小園夾池，屋形如舟。公葺[3]其舊而顏[4]之曰："不繫。"夫舟之義取乎濟川[5]，其繫與否，非舟之所能自為也。昔人稱謝太傅功高百辟，必在一丘，公之謂矣。枚宰[6]江寧，從公遊而賦焉。其辭曰：

渺三山之在望，登一室之如舟。水搖光於博壁，月照影於承霤[7]。窗彯彯[8]兮帘卷，庭冉冉兮雲留。偶摳衣[9]於綠野，恍遺世於丹丘。步乍人而雙鳧欲化，首欲回而四顧難休。

爾乃八達崇期，三楹藻棁[10]，半榻中儐[11]，一琴旁列。但栽薄媚之花，略綴飛來之石。雖不泊於江湖，儼橫陳而待涉[12]。體靜而櫓槳無聲，心虛而波濤不入。右則斷橋鵲峙[13]，小渚霜漬。望舒涼室，錦淙煙庭。靈瑣[14]檠停[15]而霧掩，重橑屈笮[16]以天成。左則牟首斜臨，康圭遙踞。宜啟背以納涼，可倚襟而拾絮。高軒[17]像君子之懷，疏落得野人之趣。牆低則遠景皆收，樹老則斜陽不去。

當夫夏始春餘，井欄石畔，竹密晝陰，草多蛙亂。鳥應節以聲移，葉辭條而律換。唯茲舟之隆然，偃[18]長虹於天半。不因急雨以回帆，不逐浮萍而傍岸。篙工欲撼以難搖，錦纜將牽而未斷。洵[19]足以解巾遐矚，退食澄懷，意行緩帶，小憩流杯。坐繞芝蘭之契，手栽桃李之材。睹籬落而心殷稼穡，聽波聲而夢繞黃、淮。畫戟[20]香而空階花墮，牙旗揚而水面風來。

然而事本無常，舟原不繫。星且移宮，泉非擇地。攬物化之推遷，嘆人生之如寄。朝雖拖乎中流，夕不知其所至。當前之峰影常青，此後之橈[21]音孰繼？鼓沙棠之楫[22]，豈料重登？賦苦葉之匏[23]，還期共濟。舟之泊也，共萬物以安恬；舟之行也，聽江風之位置。何況傍舟之草，附舟之蟲，本乘泭[24]之賤質，涉宦海之飄蓬[25]。攀慈航[26]而難再，空揭厲[27]於波中。其能無挽紼纚[28]而詠志，托云物以歌風也哉？

## 注釋

1. 蒞：臨、到。
2. 兩江：清朝江南省和江西省的合稱。包括江蘇、安徽、江西三省。
3. 葺：用茅草蓋屋子，此處引申為修補。
4. 顏：面容，此處用做動詞。
5. 濟川：渡過河流。濟，渡河。川，河流，水道。
6. 宰：主宰，治理。
7. 承霤：屋檐承接雨水用的槽。霤，指從屋檐上滴下的水。
8. 彯彯：輕捷搖動的樣子。
9. 摳衣：提起衣服。
10. 棁：樑上的短柱。

11. 儐：擺放，陳列。

12. 涉：渡河。

13. 鵠峙：也做“鵠跱”，直立的樣子。鵠，天鵝。

14. 靈瑣：神靈的住宅。

15. 槃停：盤桓停滯。

16. 橑：屋椽。笮，用竹子編成的繩索。

17. 高軒：高大有氣勢。軒，高。

18. 偃：臥倒，躺着。

19. 洵：確實。

20. 畫戟：古代兵器，因上有裝飾，故而得名。常用於儀仗中。

21. 橈：槳。

22. 沙棠之楫：用沙棠木做的船槳。沙棠，一種木名，多用於造船。楫，槳。

23. 苦葉之匏：《詩・邶風・匏有苦葉》：“匏有苦葉，濟有深涉。”匏，一種葫蘆，可以浮在水面上。其葉苦，不可食，只能用之繫在身上以渡河。

24. 泭：同“桴”，竹排或者木排。

25. 蓬：蓬草。

26. 慈航：佛教用語，指佛或是菩薩有着慈悲之心，普渡眾生，如同航船，使人能夠脫離苦海。

27. 揭厲：涉水渡河。

28. 挽紼纚：拉着繩索和帶子，使船前進。挽，拉着。紼，粗繩。纚，帶子。紼纚，多指拉船用的繩索。

## 串講

望山尚書第二次來兩江視察之後四年，政治清明，世事安寧，風景怡人。在官署的西邊，有一座小園林，中間有一處池塘，房子的形狀像艘船。先生把這房子整修一新，取名為“不繫”。舟是用來渡河的，它的繫與不繫，非自己所能定。昔日人們稱讚謝太傅功高蓋世，而心繫山水，這話也可以用來說先生。我當時在江寧任職，與先生一同遊覽，而後寫下了這篇賦。其辭如下：

看那遠處群山在望，進了一間房屋形狀像船。波光在牆上搖曳，月光灑在屋檐上。窗簾隨風擺動，雲彩在庭院上空駐留。忽然覺得彷彿置身於仙境。一邁步似乎要變成小鳥飛升，想回頭卻身不由己。

袁枚像

房屋高大壯麗，屋頂裝飾着藻井。坐榻擺在屋中，旁邊放着一張古琴。栽了幾株嬌小美麗的花草，點綴了幾塊怪石。雖然不在大江大河邊，卻像是準備渡河。身心寧靜便槳櫓無聲，波濤不入。只見右邊斷橋殘留，小水塘水冷霜清。屋內一片清涼，水氣瀰漫。神仙在霧氣掩映的屋子裏盤桓，那高大的屋椽真是巧奪天工。高大寬敞像君子的胸懷，疏疏落落頗有農家野趣。圍牆低矮正好能讓人極目遠望，老樹斜陽則盡顯滄桑之美。

春末初夏，井旁石畔，竹林茂密，野草叢生，蛙鳴陣陣。季節變幻，鳥的鳴叫聲也會變化，樹葉紛紛飄落，便知夏去秋來。只有這艘船，始終如一，巋然不動。彷彿一道長虹臥在空中。不因為風狂雨猛而返航，也不追逐浮萍而停靠岸邊。船工不可能撼動它，纜繩維繫，似乎等着人來拉動它。這真是足以引動人歸隱還鄉。閒暇時登樓遠望，漫步其中。享朋友之情，師生之誼。目睹籬笆而心繫田園生活，耳聽波濤便魂繞黃河、淮河。花落石階晝戟香，陣陣風吹牙旗揚。

然而世上萬物變化，世事無常，船原本不該繫。天上的星斗運行不停，地上的泉水也非擇地而流。人生如寄，即使早上在河之中流，日夕也不知會漂到哪裏。眼前是一片青山綠水，以後誰會在這裏？划着沙棠木做的槳，怎會知道下次何時登船？還期望再次同舟共濟，飲酒賦詩。船停則與萬物安然相融，船行就要視江風而動。何況那些附在船上的小草和小蟲，本來就微不足道，就像沉浮宦海的人們。菩薩的救助難以依賴，人們總是在波浪中奮爭。怎能不做詩文來記錄所思所感呢？

## 評析

這篇賦狀景抒情，抓住園中的一座舟形的屋子發議論，頗有特點。本來，園中有房子建成船形，這就很獨特，取名“不繫”，便更是耐人尋味。作者借題發揮，感歎世事變幻，人生如寄。就像斗轉星移，高山流水，並非人力所能改變。人生中的宦海沉浮，佛教中的孽海普渡，也都不是人力所能控制。舟船本是人造之物，應該是由人控制的。但要控制它，也並非易事。行舟時，不得不受江風海浪的影響；即使停泊時，也不能不顧忌與周圍萬物的和諧。舟，不必繫，也繫不住它。人生也如此，有時不得不聽從命運的安排。舟形的房子，不僅在外觀上給人以美感，還讓人產生了無盡的聯想。

# 河中石獸[1]

紀昀

滄州[2]南一寺臨河幹[3]，山門圮[4]於河，二石獸沉焉。閱[5]十餘歲，僧募[6]金重修，求二石獸於水中，竟不可得，以為順流下矣。棹[7]數小舟，曳[8]鐵鈀[9]，尋十餘里無跡。一講學家設帳寺中，聞之笑曰："爾輩[10]不能究[11]物理。是非木柿[12]，豈能為暴漲攜[13]之去？乃石性堅重，沙性鬆浮，湮[14]於沙上，漸沉漸深耳，沿河求之，不亦顛[15]乎？眾服為確論。一老河兵聞之，又笑曰："凡河中失石，當求之於上流。蓋石性堅重，沙性鬆浮，水不能沖石，其反激之力，必於石下迎水處嚙[16]沙為坎穴[17]。漸激漸深，至石之半，石必倒擲坎穴中。如是再嚙，石又再轉。轉轉不已，遂反溯[18]流逆上矣。求之下流，固顛；求之地中，不更顛乎？"如其言，果得數里外。然則天下之事但知其一，不知其二者多矣，可據理臆斷歟？

## 注釋

1. 本篇選自紀昀《閱微草堂筆記》卷十六。
2. 滄州：今河北省滄州市。
3. 河幹：河岸。
4. 圮：倒塌。
5. 閱：經歷、經過。

6. 募：廣泛徵集。

7. 棹：本意船槳和船，此處用作動詞，指划船。

8. 曳：拉。

9. 鈀：同“耙”，耙子，一種農具。

10. 爾輩：你們這些人。

11. 究：仔細推求。

12. 柿：從大木頭上削下來的木片、木皮。

13. 攜：帶着。

14. 湮：埋沒。

15. 顛：顛倒。

16. 嚙：咬，此處指衝擊。

17. 坎穴：坑。

18. 溯：沿水逆流而上。

## 串講

滄州南面有座寺廟，面對着一條河，這座寺廟的山門倒在了河裏，門口的兩個石獸也一起沉到了河底。經過了十多年，僧人募捐了錢重修廟門，因此到河裏去撈石獸，可是石獸竟然不見了，沒有找到。人們以為石獸順流而下了，便划了幾條小船，拽着鐵耙，順着河往下游尋找，找了十多里地竟然也無蹤跡。一位講學家在寺中開設講壇，聽說了這件事後笑着說：“你們這些人不能仔細探求事物的道理。石獸又不是木片，怎麼能被大水帶走呢？石頭的特性是堅固沉重，沙子的特性是鬆軟浮動，石獸埋在沙裏，越沉越深，沿河往下游去尋找，不是搞顛倒了嗎？”大家聽了他說的這番話都很信服，認為道理是正確的。一位老河兵聽說了這件事，又笑了，說道：“凡是在河裏丟失了石頭，應當到河的上游去尋找。因為石頭堅固沉重，沙子鬆軟浮動，水沖不動石頭，石頭對水有反激之力，水必定會在石頭迎着水流的方向的下方沖走沙子，逐漸形成坑穴。越衝擊坑越深，等到坑有石頭的一半那麼深時，石頭必然會倒在坑中。然後像這樣水再衝擊沙子，石頭再翻轉，這種翻轉一直繼續着，所以必須逆流而上去尋找石獸。到下游去尋找石獸，本來是搞顛倒了；到河床底下去尋找石獸，不更是搞錯了嗎？”大家按照他所說的，果然在河的上游幾里以外，找到了石獸。天下的事，只知其一，不知其二的多了，可以隨意根據想像推斷嗎？

## 評析

紀昀（1724—1805）字曉嵐，又字春帆，號觀弈道人，直隸獻縣（今屬河北）人，乾隆十九年進士，授翰林院編修，後官至禮部尚書，協辦大學士。其間曾任《四庫全書》總纂官，為當時著名學者。有詩文集《紀文達公遺集》和小說集《閱微草堂筆記》。

這是一篇科學小品文。它說明的道理很簡單——凡事不能想當然，想當然的推斷往往會出錯，但讀來十分耐人尋味。石獸沉到河裏十年多，到哪裏去找？不同的人有不同的主張。開始，人們不假思索地認為應該去下游打撈，可是沿河向下游尋找了十多里也沒見蹤跡。因為這是根據最表層的現象做出的推斷：水流不是把水面上所有看得見的東西都沖到下游了嗎？那水底下看不見的東西一定也是如此。結果證明這一想像是錯誤的。講學家是個博學多識的人，考慮問題能夠注意到事物的特性，分析得頭頭是道。石頭沉重，沙子鬆軟，大石頭沉到河底的泥沙中，應該是越陷越深，所以應該在石獸落水的原地找。老河兵的看法出乎人們意料，他讓人們到河的上游去找石獸。這個看起來不可思議的判斷，事實證明完全正確。以今天的物理學原理來解釋，當水流不能沖走石頭的時候，石頭對水流會產生反作用力。這個反作用力在石頭的後部形成渦流，渦流將石頭後部下面的沙子捲走，逐漸在石頭的後部下方形成一個凹坑，凹坑會越來越大，當大到一定程度時，石頭就會因自身重力的作用而向後翻倒，如此循環往復，久而久之，石頭雖然沒有長腳，卻一點一點地滾到河流的上游方向去了。一般人只看到水能將東西沖走，沒有考慮到石頭和沙子的特性，以為石獸掉到河裏十多年後一定會在下游，吃了想當然的虧。講學家注意到了石頭和沙子的特性，但不瞭解水流、石頭和沙子之間的相互作用。以為石獸會在原來的地方越陷越深，還是不符合客觀實際，錯在只知其一，不知其二。老河兵雖然不一定掌握流體力學的理論，但他長期生活在河邊，熟悉當地地質、水流、水性等實際情況，因而能夠作出符合實際的判斷。去下游尋找石獸的人見識淺薄；外地來的講學家，看法片面。世界上的事物千變萬化，但其中總有規律可循。如果不深入瞭解事物的本質特徵和相互關係，其辦事效果往往會適得其反，事與願違。

紀昀像

# 登泰山記

姚鼐

泰山之陽[1]，汶水[2]西流；其陰，濟水[3]東流。陽谷[4]皆入汶，陰谷皆入濟。當其南北分者，古長城[5]也。最高日觀峰，在長城南十五里。

余以乾隆三十九年十二月，自京師乘風雪，歷齊河、長清[6]，空泰山西北谷，越長城之限，至於泰安[7]。是月丁未[8]，與知府朱孝純子穎[9]由南麓登。四十五里，道皆砌石為磴，其級七千有餘。泰山正南面有三谷，中谷繞泰安城下，酈道元所為環水也。[10]余始循以入；道少半，越中嶺，復循西谷，遂至其巔。古時登山，循東谷入，道有天門。東谷者，古謂之天門溪水，余所不至也。今所經中嶺及山巔崖限當道者，世皆謂之天門云。道中迷霧冰滑，磴幾不可登。及既上，蒼山負雪，明燭天南[11]，望晚日照城郭，汶水、徂徠[12]如畫，而半山居霧若帶然。

戊申晦[13]，五鼓，與子穎坐日觀亭，待日出。大風揚積雪擊面，亭東自足下皆雲漫，稍見雲中白若樗蒱[14]數十立者，山也。極天[15]雲一線異色，須臾成五采，日上正赤[16]如丹，下有紅光動搖承之。或曰，此東海也。回視日觀以西峰，或得日或否[17]，絳皓駁色，[18]而皆若僂[19]。

亭西有岱祠[20]，又有碧霞元君[21]祠。皇帝行宮在碧霞元君祠東。是日，觀道中石刻，自唐顯慶[22]以來，其遠古刻盡漫失[23]；僻不當道者[24]，皆不及往。

山多石，少土。石蒼黑色，多平方，少圓。少雜樹，多松，生石罅，皆平頂。冰雪，無瀑水，無鳥獸音跡。至日觀數里內無樹，而雪與人膝齊。

桐城姚鼐記。

## 注釋

1. 陽：古時稱山南為陽。
2. 汶水：即大汶河。發源於今山東省萊蕪縣東北的原山，向西南流經泰山南。
3. 濟水：上游為沇水，東流為濟水。源於今河南省濟源縣王屋山，東流至山東，與黃河並行入海。後下游河道為黃河所佔奪。
4. 陽谷：指泰山南面山谷裏的水。
5. 古長城：指戰國時齊國修築的長城。
6. 齊河、長清：均為山東省縣名。
7. 泰安：在泰山南，清代為泰安府治所，今山東省泰安市。
8. 是月丁未：指乾隆三十九年十二月二十八日。
9. 朱孝純子穎：朱孝純，字子穎，乾隆年間進士，時任泰安府知府，官至兩淮鹽運使。他與姚鼐是摯友，二人都是劉大櫆的弟子。
10. 酈道元：字善長，北魏時人，地理學家，著有《水經注》。環水：指泰安的護城河。《水經注 · 汶水》："又合環水，水出泰山南溪"。
11. 明燭天南：泰山上的雪光明亮，照耀着南面的天空。燭，照耀。
12. 徂徠：山名，在今泰安城東南 40 里處。
13. 晦：農曆每月的最後一天。

14. 樗蒱：古代的一種博戲。

15. 極天：天邊。

16. 正赤：大紅。

17. 或得日或否：有的被陽光照着，有的沒有被照着。

18. 絳皓：紅色，白色。駁：雜。

19. 皆若僂：都像彎腰曲背的樣子。

20. 岱祠：供奉東嶽大帝的廟。因東嶽泰山也稱岱宗，故稱。

21. 碧霞元君：傳說為東嶽大帝的女兒。宋真宗登泰山時封為"天仙玉女碧霞元君"，並建昭真祠祭祀之。

22. 顯慶：唐高宗李治的年號（656－660）。

23. 漫失：磨滅消失。

24. 僻不當道者：指偏僻不在路邊的石刻。

## 串講

泰山的南面，汶水向西流。泰山之北，濟水向東流。南面山谷中的溪流都流入汶水，北面山谷中的溪流都流入濟水。以古長城為界，劃分南北。最高峰日觀峰在長城南邊十五里。

乾隆三十九年的十二月，我從北京冒着風雪出發，過齊河、長清，穿過泰山西北山谷，越過長城到達泰安。二十八日這天，我和朱知府一起從南面攀登。四十五里山路，全是石頭砌的台階，共有七千多級。泰山正南面有三條山谷，中間的山谷環繞泰安城，即酈道元所說的泰安的護城河。我們從這裏進山，半路越過中嶺，又沿着西邊的山谷到達頂峰。古時候登山，從東邊的山谷進入，路上有天門。東谷，古代稱為天門溪水，我們沒有去。今天所走的中嶺及山頂，世人稱之天門。途中雲霧瀰漫，冰雪覆蓋着道路，很滑。石頭台階幾乎無法攀登。到了山頂，蒼山覆蓋着白雪，閃亮耀眼，照亮了南面的天空。夕陽輝映城郭，山水如畫，半山腰的雲霧宛若飄帶。

這天凌晨五更時分，我和朱知府坐在日觀亭，等待日出。大風吹起地面的積雪撲打着臉頰。亭子東邊，雲霧在腳下升騰。天邊有一線深色的雲，迅速變換着顏色，五彩繽紛。初升的太陽火紅如丹，閃爍的紅光烘托着它。有人說，這就是東海。回頭看日觀亭西邊的山峰，有的迎着朝陽，有的背陰，或明或暗，都像是在鞠躬行禮。

日觀亭西側有岱祠，還有碧霞元君祠。皇帝行宮在碧霞元君祠東邊。這天，還看了路邊的石刻，唐朝顯慶年以後的可以看清，更早的就磨損消失了。偏僻不在路旁的石刻就沒有去看。

山上石頭多，土很少。石頭呈蒼黑色，多是方形，較少圓形。山上松樹很多，其他的樹木較少。松樹長在石頭縫裏，樹冠呈平頂。到處是冰雪，看不到瀑布和溪流，也沒有鳥獸的聲音和痕跡。到日觀亭的路上，好幾里都沒有樹，積雪深達膝蓋。

## 評析

姚鼐（1731－1815）字姬傳，一字夢穀，室名惜抱軒，人稱惜抱先生，桐城（今安徽桐城）人。乾隆二十八年（1763）進士，曾任刑部郎中，擔任過四庫全書纂修官。中年辭官，主持梅花、紫陽和鍾山等書院共四十年。他繼承方苞、劉大櫆的古文主張，認為義理、考據、辭章三者並重，是桐城派古文的主要作家之一。其文章簡潔清雅，富有意韻。

這篇遊記是乾隆三十九年（1774）冬，作者辭官歸里，從京城回鄉途經泰安時所作。文章先交待泰山的地理位置，接着描寫雪中登泰山“迷霧冰滑”，路途艱難；一旦登頂，喜見“蒼山負雪”後的蒼茫壯麗；傍晚遠眺山下，夕陽照耀着城郭、河流，又覺寧靜如畫；第二日在日觀亭看日出，寒風撲面，太陽從群峰、雲海中噴薄而出，燦爛瑰麗。這些景色都使人歷歷如見，無不筆到神至，不愧是泰山遊記中的優秀名篇。

# 尼庵騙局[1]

梁章鉅

余官江蘇時，往來丹徒[2]河幹[3]甚屢[4]，習見一尼庵，頗冷落。近年過之，則門戶嶄新，香火甚盛，相距不過十餘年耳。偶因夜泊[5]，與庵旁一老翁詰[6]其顛末[7]，翁年踰[8]七十矣，慨然[9]曰："凡寺觀之盛衰，雖關氣運，而人事亦與有功[10]焉。此庵初不振，一日遇都天[11]廟會，甚熱鬧，庵前趕會之船不少，有美婦趁船到此登岸，一足誤陷汙[12]泥，急行入庵，眾目皆睹。而舟子忽譁[13]言婦給船錢一百，乃是冥資[14]，急入庵理論，則庵中並無此婦。方與庵尼詰論，舟子忽見座上大士[15]像一足偏染汙泥，乃大驚悟，伏地叩首，即將冥資焚於爐中，於是闐[16]塞入庵聚觀者，無不合聲誦佛，信為大士顯靈。適[17]舟中人又來報香氣四騰，眾益駭異，遠近傳聞，自此施捨沓[18]至，香火遂煊[19]赫至今。實則婦與舟子皆庵尼所夥[20]串，婦一入庵，即卸裝改容，而以汙泥移入大士足下耳。"

## 注釋

1. 本篇選自梁章鉅《浪跡續談》卷七。
2. 丹徒：縣名，在今江蘇省鎮江市東南。
3. 河幹：河畔，這裏指河。
4. 屢：多次地。
5. 泊：停留，暫住。

6. 詰：追問，盤問。

7. 顛末：始末。

8. 踰：超過。

9. 慨然：感歎地。

10. 功：成效，作用。

11. 都天：神名，這裏是廟宇名。

12. 汙：同“污”，髒。

13. 譁：同“嘩”，亂吵，大聲說。

14. 冥資：陰間用的錢。

15. 大士：佛教對菩薩的通稱，亦特指觀世音菩薩。

16. 闐：充滿。

17. 適：恰巧。

18. 沓：多，重複。

19. 煊：同“喧”，喧鬧，此處指興旺。

20. 夥：同“伙”，共同，聯合。

## 串講

我在江蘇做官時，經常往來於丹徒縣的一條河，常常看見一座尼姑庵，很冷落。近年來再經過，卻見門戶煥然一新，香火很盛，與過去的門庭冷落時相距不過十多年。一次，我偶然在那裏停船夜泊，向住在庵旁的一位老人詢問事情的原委，老人年過七十，他感慨道：“大凡寺觀廟宇的盛衰，雖然和運氣有關，但人為的因素也起作用。這個尼庵最初香火不盛，一天，正遇天都廟會，非常熱鬧，尼庵前來趕會的船不少，有個漂亮的女子乘船到這裏上岸，不小心一隻腳陷入污泥，她便趕快走進尼庵中，這個情景大家都看到了。而船主忽然大聲嚷嚷說這個女子給他的一百船錢是陰間使用的錢，他急忙進入庵中找這女子理論，但庵中卻並沒有這個女子，他正在詰問庵中尼姑，忽然看見庵中神座上觀音像的一隻腳上染着污泥，他大驚，並且醒悟，那女子原來是觀音的化身，便伏在地上叩頭，又把冥鈔放在香爐中焚燒，於是滿庵的圍觀者齊聲拜佛，都相信是觀音顯靈。恰巧船上又有人跑來說船中香氣四溢，大家更加驚異。不久，這一奇事遠近傳遍。從此以後，到尼庵來施捨燒香的人紛至沓來，香火興盛，直到今天。其實那個女子和船主都和庵中的尼姑一起串通好了，那個女子一進庵中，便馬上改換裝束，並把腳上的泥塗在觀音像的腳上了。

## 評析

梁章鉅（1775－1849）字閎中，又字茝林，晚年自號退庵。福州長樂（今屬福建）人。清嘉慶七年進士，官至兩江總督。著述豐富，有《藤花吟館詩鈔》、《退庵詩存》、《南浦詩話》、《浪跡叢談》和《浪跡續談》等。

尼姑庵香火旺盛的原因原來是有人利用人們的虔誠心理設計了騙局。為了獲得更多的物質利益，這些人真是機關算盡，良知盡喪。庵中的尼姑和外面的同夥串通一氣，選擇好合適的時機，上演了一齣觀音顯靈的鬧劇。故事給我們許多啟發。首先，善良的人們不要太輕信。世界上的事是複雜的，人們的頭腦也應該複雜一些，遇事多加思考。不可聽到風就是雨，盲目地人云亦云。其實騙子的騙術往往並不高明，只要心存戒備，多加留意，就不難識破。其次，庵中尼姑雖然身居佛門，手捻佛珠，口稱南無，但實際上並不虔誠，對觀音也毫無敬畏之心，大家奉為神靈的觀音不過是他們手中謀取錢財的工具。這種人不僅佛門中有，別處也有。不僅古代有，現在也有。特殊的身份使他們具有更大的欺騙性，人們如果不加倍警惕，更容易上當。第三，紙裏包不住火，騙局能得逞一時，但終究會被揭穿。他們身為佛門子弟，身居莊嚴的廟宇，所作所為卻是卑鄙小人的勾當。為了撈取錢財，利用一般人對神靈的敬畏，不惜踐踏神聖的精神信仰，褻瀆佛門。他們即使不被神靈懲罰，也會遭到世人的永遠鄙棄。

# 圓明園的買賣街[1]

姚元之

圓明園福海之東有同樂園，每歲賜諸臣觀劇於此。高廟時，每新歲園中設有買賣街，凡古玩估衣[2]以及茶館飯肆，一切動用[3]諸物悉備，外間[4]所有者無不有之，雖至攜小筐賣瓜子者亦備焉。開店者俱以內監為之。其古玩等器，由崇文門監督先期於外城各肆中採擇交入，言明價值，具於冊。賣去者給值，存者歸[5]物。各大臣至園，許[6]競相購買之。各執事官退出後，日將晡[7]，內宮[8]亦至其肆市物[9]焉。其執事等官，俱得集於酒館飯肆哺啜[10]，與在外等[11]。館肆中走堂者，俱挑取外城各肆中之聲音響亮、口齒伶俐者充之。每俟[12]駕[13]過店門，則走堂者呼茶，店小二報帳，掌櫃者核算，眾音雜遝[14]，紛紛並起，以為新年遊觀之樂。至燕九日[15]始輟[16]。蓋以九重[17]欲周知民間風景之意也。造辦處筆帖式徐君善慶每歲入直，言之最詳。晚間仍備嘎嘎燈[18]焉。嘉慶四年此例停止。

## 注釋

1. 圓明園的買賣街：本篇選自《竹葉亭雜記》卷一，題目為編者加。
2. 估衣：市場出售的舊衣服或粗製濫造的新衣服。
3. 動用：使用。
4. 外間：宮廷以外。

5. 歸：歸還。

6. 許：答應，允許。

7. 晡：申時，相當於現代時間的十五點到十七點。

8. 內宮：指皇帝的妃嬪等後宮女子。

9. 市物：買東西。

10. 哺啜：吃飯，飲食，吃喝。

11. 等：等候。

12. 俟：等到。

13. 駕：車。此處指皇帝。

14. 雜遝：十分雜亂擁擠。此處指聲音嘈雜，混亂不堪。

15. 燕九日：舊俗正月十九日為燕九節，這日是丘處機的生日，京城人會遊白雲觀訪丹祭拜。

16. 輟：停止。

17. 九重：皇帝。

18. 嘎嘎燈：一種形似嘎嘎的燈。嘎嘎，兒童玩具的一種，兩頭尖，中間大。

## 串講

圓明園的福海東面有同樂園，每年皇帝賞賜大臣們看戲都是在這裏。高宗乾隆朝，每年新年，園中都開設買賣街。買賣街上，各種店鋪，諸如古玩店、賣舊衣服的小店、茶館、飯鋪等等，應有盡有。市井所有的，這裏一應俱全，甚至揹着小筐賣瓜子的人都有。開店的差事都是太監擔任。這裏所賣的古玩、衣服等物品，都是崇文門監督在京城各家古玩店中挑選的，然後交入宮中。每件物品都注明價錢，登記在冊。賣出後，把錢給原店主，沒有賣掉的，也都物歸原主。大臣們來到園中，允許他們競相購買。等到各位執事官退出後，那時已經是下午四、五點鐘了，宮中的女眷也到這裏來買東西。執事官們都到酒館、飯舖中

《孝聖萬壽慶典圖》（局部）

吃飯、喝酒，車轎在飯館門外停着等候。那些飯館裏跑堂的，都是從城裏各飯店挑選出來的聲音響亮、口齒伶俐的人。每當皇上經過店門，跑堂的就趕忙叫茶，店小二報賬，掌櫃的算錢，各種聲音轟然而起，此起彼伏，顯得格外熱鬧。這成了每年新年皇帝、皇族成員及大臣們遊玩觀賞的一處景觀。買賣街截止到正月十九日才結束。這是因為皇上想看看民間的景象。造辦處筆貼式徐善慶每年都被選進圓明園當差，他描述買賣街的情形最為詳細。晚上仍然準備着嘎嘎燈。直到嘉慶四年這個景觀才停止。

## 評析

姚元之（1776 － 1852）字伯昂，號廌青，又號竹葉亭生，五不翁。安徽桐城人。清代文學家。他博覽群書，多才多藝，繪畫和書法也有相當的造詣。

本篇描寫圓明園中新年設買賣街的情景。貴為天子的皇帝，生活的天地只是皇宮，無法真正體驗俗世生活。好奇之

心，人皆有之。市井小民的艱辛，皇帝大概不可能真正瞭解到，但市井的繁華熱鬧，對皇帝來說無疑是新奇的。於是就有人別出心裁，乾隆年間的每年新年，在皇家園林中，人造一條買賣街，各種店鋪都是仿真的。有人賣各種東西，也有人爭相購買各種物品。就像是在一個巨大的舞台上上演的戲劇，目的是營造一條真實的街道，讓皇帝及皇族成員感受市井生活。直到乾隆皇帝死後，這一活動才停止。這是那個特殊時代的特殊事物，早已消逝在歷史長河裏。而短文敘述細緻，頗有意趣，今天讀來，仍能讓我們從一個特殊的角度去感受歷史。

# 病梅館記

龔自珍

江寧[1]之龍蟠[2]，蘇州之鄧尉[3]，杭州之西溪[4]，皆產梅。或曰：“梅以曲為美，直則無姿；以欹[5]為美，正則無景[6]；以疏為美，密則無態。固也。此文人畫士心知其意，未可明詔[7]大號[8]，以繩[9]天下之梅也；又不可以使天下之民，斫[10]直、刪密、鋤[11]正，以殀[12]梅、病梅為業以求錢也。梅之欹、之疏、之曲，又非蠢蠢求錢之民，能以其智力為也。有以文人畫士孤癖[13]之隱[14]，明告鬻[15]梅者，斫其正，養其旁條，刪其密，夭其稚枝，鋤其直，遏[16]其生氣，以求重價，而江、浙之梅皆病。文人畫士之禍之烈至此哉！

予購三百盆，皆病者，無一完者。既泣之三日，乃誓療之、縱之、順之。毀其盆，悉埋於地，解其棕縛；以五年為期，必復之、全之。予本非文人畫士，甘受詬厲[17]，闢[18]病梅之館以貯之。嗚呼！安得使予多暇日，又多閒田，以廣貯[19]江寧、杭州、蘇州之病梅，窮予生之光陰以療梅也哉！

## 注釋

1. 江寧：江寧府，今江蘇省南京市。
2. 龍蟠：龍蟠里，在今南京市清涼山下。

3. 鄧尉：山名，在蘇州市西南。

4. 西溪：小河名，在杭州靈隱山西北。

5. 欹：斜。

6. 景：景致。

7. 詔：告訴。

8. 號：號召，宣揚。

9. 繩：衡量。

10. 斫：砍。

11. 鋤：砍除。

12. 殀：同“夭”，早死。

13. 癖：嗜好。

14. 隱：隱衷，心思。

15. 鬻：賣。

16. 遏：抑制。

17. 詬厲：斥罵。

18. 闢：開設。

19. 貯：積存。

## 串講

江寧的龍蟠、蘇州的鄧尉山、杭州的西溪，都盛產梅花。有人說：“梅花以枝幹彎曲為美，挺直就沒有風姿；以枝幹橫斜為美，端正就沒有景致；以枝條稀疏為美，茂密就沒有韻味。”歷來就是如此。對於這種情形，文人畫士心領神會其中的意思，但不能公開下令，大聲號召，用這些標準衡量天下的梅樹；又不能讓天下的百姓都去砍掉挺直的樹幹，刪削茂密的枝葉，除掉端正的樹幹，用使梅樹夭折、病殘作為職業去謀取錢財。況且，梅花枝幹的橫斜、稀疏、彎曲又不是愚昧的、只知掙錢的百姓，用他們的智力可以做到的。有人把文人畫士的獨特嗜好及隱衷明確地告訴賣梅花的人，讓他們把端正的主枝砍掉，護養旁枝，削減繁密的枝條，把嫩枝剪掉，除去挺直的枝幹，抑制它們的生機，以此賣高價，因而江浙一帶的梅花都被損壞了。文人畫士禍害的劇烈竟然到了這種程度！

我買了三百盆梅花，都是病殘的，沒有一枝是完好的。我已經為它們哭了三天，發誓為它們治療，放開它們，順其自然，打碎花盆，把它們全部種在地裏，把捆縛它們的棕繩解開；以五年為期限，我一定要讓他們恢復本來面貌，使它們健全。我本來就不是文人畫士，甘願受責罵，開設一座病梅館收養它們。唉！怎麼才能使我有更多的閒暇時間，有更多的閒田，來大量收養江寧、杭州、蘇州的病梅，用我畢生的時間來治療這些梅花呢？

## 評析

龔自珍（1792－1841）字爾玉，又字璱人；改名易簡，字伯定；又更名鞏祚，號定盦，浙江仁和（今浙江杭州）人。嘉慶二十三年（1818）鄉試中舉，嘉慶二十五年（1820）始入仕途，任內閣中書。道光九年（1829）中進士，任禮部主事等職。道光十九年（1839）辭官南歸、兩年後卒於丹陽雲陽書院。精於經學、小學（文字學、訓詁學、音韻學的總稱）、目錄學，金石學等，講求經世致用，主張改革政治，是近代傑出的思想家。他的詩文多譏刺時政，奇境獨闢，縱橫恣肆，別開生面，又是近代卓越的詩人和散文家。

文章通過揭示某些人因為偏好而摧殘梅花的行為，譴責一種病態的審美觀，寓意頗深。不知從何時開始，一些文人和畫士以梅花的彎曲、橫斜和稀疏為美，而挺直、端正的梅樹及茂密的梅花則被視為無姿無態，平淡無奇。自然生長的梅花不能合他們的趣味，就用繩子捆綁，用刀削斧砍等辦法，不惜把梅花弄病、弄殘甚至弄死，來滿足賞玩的慾望。這是一種什麼樣的審美觀呢？不崇尚自然，不欣賞純真，不推崇健康的美，而喜好矯情造作，欣賞畸形變態。作者對這種趣味深惡痛絕，激憤地加以譴責的同時，以自己微薄之力解救那些病殘的梅花，使它們能夠健康生長。此文的真實用意顯然是借花喻人，借花喻世，抨擊當時壓制、摧殘人才的社會體制。作者生活的時代，當權者出於維護其統治的需要，採用種種高壓手段禁錮民眾的思想。文章中用梅花的曲、斜、疏，暗指人性的扭曲，用繩捆、刀砍比喻對民眾思想的禁錮與摧殘，比喻生動，作者的言外之意顯而易見。文中呼籲砸碎花盆，解除繩索，發出了抗爭的呼聲。儘管個人努力與整個封建統治相比，顯得勢單力薄，但其中表現出來的凜然正氣和不屈的勇氣，十分難得可貴。作者曾有詩云：“九州生氣恃風雷，萬馬齊喑究可哀。我勸天公重抖擻，不拘一格降人才。”其思想脈絡與本文是相通的。

龔自珍墨跡

# 天壽山說

龔自珍

由德勝門[1]北行五十五里，曰沙河[2]。沙河有城。出沙河之北門，實維廣隰[3]，豐草肥泉[4]。引領[5]東拜[6]，大山臨[7]之，是為天壽山[8]。明成祖永樂[9]十年所錫[10]名也。京師西北諸山，皆宗太行山[11]，此山能不與群山勢相屬[12]，有明尊且秩[13]焉。自永樂至天啟[14]十有二帝葬焉。謂之十二陵[15]。獨景泰帝[16]無陵，崇禎[17]十五年，妃田氏死，葬其西麓。十七年，帝及周后死社稷[18]，昌平民發田妃之墓，以葬帝后，因曰十三陵矣。山多文杏，春正月而華[19]。山之勢尊，故木之華也先。山氣厚，故木之華也怒。山深，故春甚寒。深且固，故雖寒而不冽[20]。其石其鹿，皆絕大。山之理[21]如大斧劈，山之色黝以文[22]。山之東支，有湯山焉。其泉曰湯泉焉。山之首尾八十里。

## 注釋

1. 德勝門：北京舊城西北門。
2. 沙河：在北京西北郊。
3. 隰：低下的濕地。
4. 肥泉：水同源而後分杈而流稱為肥泉，這裏指交叉匯流的山泉溪水。
5. 引領：伸着脖子。
6. 東拜：向東方眺望。

7. 臨：面對。

8. 天壽山：在北京西北郊，明十三陵葬地。

9. 明成祖永樂：明朝第三個皇帝，名朱棣，永樂是他的年號。

10. 錫：賜。

11. 太行山：山名，在山西高原和河北平原間。

12. 屬：連接。

13. 尊且秩：尊奉和祭祀。

14. 天啟：明熹宗朱由校年號。

15. 陵：陵墓。

16. 景泰帝：明代宗朱祁鈺，景泰為其年號。

17. 崇禎：明毅宗朱由檢的年號。

18. 帝及周后死社稷：指李自成進北京時，崇禎殺死后妃然後自殺。

19. 華：同花，這裏用作動詞，意為開花。

20. 洌：寒冷。

21. 理：紋路。

22. 文：花紋、紋理。

## 串講

從德勝門出城，往北走五十里，有條河，名叫沙河。沙河有古城遺址。從沙河古城的北門出去，可以看到一片平曠低濕的原野，那裏生長着茂密的草木，有縱橫交匯的溪流。舉目向東眺望，有一座大山，這就是天壽山。它的名字是明成祖永樂十年賜予的。京城西北的那些山，都屬於太行山，這座山能不和群山連接，所以明朝尊奉並且朝拜祭祀它。從永樂到天啟，有十二代皇帝埋葬在這裏，人們稱為十二陵，唯獨景泰皇帝沒有陵墓。崇禎十五年，田妃死了，葬在山的西麓。崇禎十七年，崇禎皇帝和周后死於國家滅亡，昌平的百姓掘開田妃的墓，埋葬了皇帝後，因此這裏叫十三陵了。天壽山上生長着很多文杏樹，每年到春天正月開花。因為山勢高大，所以山上樹木開花早。因為山高林密，所以山上樹木的花開得旺盛。因為山深，所以春日猶寒。因為山勢幽深而且山巒重疊，所以雖然寒冷但不凜冽刺骨。山上的山石和野鹿，都非常大。山岩的紋路像是大斧劈開的。山岩的顏色黝黑而有花紋。山東邊的支脈，有湯山。湯山有泉叫湯泉。天壽山首尾延綿八十里。

## 評析

文章描繪天壽山的地理特徵和自然景觀，以及十三陵稱謂的由來，娓娓道來，樸素自然，雖然沒有誇張和渲染之詞，但將天壽山雄渾厚重的氣勢描寫得十分鮮明。明朝統治者選中這個風景漂亮的地方作為自己的陵寢之所，並且賜名天壽山，顯然因為這裏風水好，希望這塊風水寶地給大明江山以佑護，保佑江山穩固，壽可齊天。然而僅僅經過十幾個皇帝，三百多年，明朝就消失在血雨腥風之中。崇禎皇帝上吊煤山，是當地百姓挖開其妃子的墓將其掩埋，這不能不說具有諷刺意味。然而，十三陵卻作為歷史的見證，作為文化遺產，永遠地留給了後人。今天人們來到這裏，走在肅穆的神路上，或徜徉在秀麗的群山中；踏入莊嚴的長陵大殿，或走進幽深的定陵地宮；或遊覽，或憑弔，都可以體味到濃重的歷史感，並從中或多或少地受到啟迪。

# 殺騾乘雞

俞樾

有客至，主人具[1]蔬食，客不悅。主人謝[2]曰："家貧市[3]遠，不能得肉耳"。客曰："請殺我所乘之騾而食之"。主人曰："君何以歸？"客指階前之雞曰："我借君之雞乘之而歸。"

## 注釋

1. 具：備、辦。
2. 謝：道歉。
3. 市：集市。

## 串講

有客人到，主人備辦了素食招待客人，客人很不高興。主人感到抱歉，說道："我家裏窮，集市又遠，沒法置辦肉菜。"客人說："請把我騎來的騾子殺了燉着吃吧。"主人說："您怎麼回去？"客人指着台階前的雞說："我借您的雞騎着回去。"

## 評析

俞樾（1821－1907），字蔭甫，號曲園，浙江德清人。道光三十年（1850）進士，官翰林院編修、河南學政。晚年講學杭州詁經精舍。是晚清著名學者、文學家。治經、子、小學皆有成就，撰有《群經平議》、《諸子平議》、《古書疑義舉例》等。頗注重小說戲曲，強調其教化作用。又喜作筆記，搜羅甚富。也能詩詞。所撰各書，總稱《春在堂全書》，共二百五十卷。

這個小故事諷刺了那種吝嗇而又虛情假意的人。生活中確實有這樣的人，骨子裏精於盤算，斤斤計較，表面上卻要作出殷勤備至、慷慨大方的樣子。台階下明明有自己家裏的雞走來走去，偏要說弄不到肉款待客人。客人有意要戳穿他的虛偽客套，便說把我騎來的騾子殺了吃了吧。主人不僅吝嗇，而且十分愚蠢，不能悟出客人話裏有話，還問人家怎麼回去，似乎代步的問題解決了，殺了人家的騾子來吃也沒什麼。騾子與雞，大小、輕重相差懸殊，價格也是極不相稱。寧可損失人家一匹騾子也不願意損失自家的一隻雞，吝嗇到了鬼迷心竅的地步，真讓人哭笑不得。借雞騎乘一語幽默而又辛辣，作者最後並沒有再描寫這個吝嗇鬼如何反應，是滿意地欣然從命？還是羞愧得無地自容？令人玩味。這位客人的答對很有意思，感覺到對方的吝嗇和虛情假意時，既不沉默不言，克己忍耐——那樣太便宜對方，也不直接揭穿，與之爭執——那樣有傷和氣，而是作出了機智而幽默反應。

# 《紅樓夢》迷[1]

鄒弢

許伯謙茂才紹源[2]論《紅樓夢》，尊薛而抑林，謂黛玉尖酸，寶釵端重。直被作者瞞過。夫黛玉尖酸，固也，而天真爛漫，相見以天[3]，寶玉豈有第二人知己哉！況黛玉以寶釵之奸，鬱未得志[4]，口頭吐露，事或有之……書中譏寶釵處，如丸曰冷香[5]，言非熱心人也；水亭撲蝶[6]，欲下[7]之結怨於林也；借衣金釧[8]，欲上[9]之疑忌於林[10]也；此皆其大作用處。況楊國忠三字[11]明明從自己口中說出，此皆作者弄狡獪處，不可為其所欺。況寶釵在人前必故意裝喬，若幽寂無人，如觀金一段[12]，則真情畢露矣。

己卯春，余與伯謙論此書，一言不合，遂相齟齬，幾揮老拳，而毓仙排解之，於是兩人誓不談《紅樓》。秋試[13]同舟，伯謙謂余曰：“君何為泥而不化耶？”余曰：“子亦何為窒而不通耶？”一笑而罷。嗣後放談，終不及此。

## 注釋

1. 選自《三借廬筆談》卷十一，題目為編者加。
2. 許伯謙茂才紹源：茂才，即秀才；伯謙是字，紹源是名。
3. 天：天然，自然，這裏指真誠的意思。
4. 鬱未得志：鬱鬱不得志。《紅樓夢》第五回描寫薛寶釵到賈府後，“人多謂黛玉所不及”，“故此寶釵大得下人之心”，因此“黛玉心中便有些悒鬱不忿之意”。

5. 丸曰冷香：第七回寫薛寶釵吃的藥丸叫冷香丸。

6. 水亭撲蝶：見第二十七回。薛寶釵撲蝶時不意聽到丫頭紅玉和墜兒的私房話，故意大聲叫着林黛玉的昵稱，加重腳步走開。

7. 下：下人，指丫頭紅玉和墜兒。

8. 借衣金釧：第二十九回寫丫頭金釧跳井自殺後，薛寶釵拿出自己的新衣服，用作金釧的葬服。

9. 上：主子，這裏指王夫人。

10. 疑忌於林：金釧自殺後，王夫人對薛寶釵說，不好把準備給林黛玉做生日的衣服拿來給死者妝裹，怕林忌諱，薛寶釵便主動把自己的新衣服拿出來交給王夫人。

11. 楊國忠三字：第三十回賈寶玉對薛寶釵說：“怪不得他們拿姐姐比楊妃，原來也體豐怕熱。”薛寶釵大怒，冷笑着說：“只是沒有一個好哥哥好兄弟可以作得楊國忠的。”

12. 觀金一段：第八回寫寶釵看寶玉的通靈寶玉，鶯兒說玉上的八個字和寶釵金鎖上的八個字是“一對兒”，賈寶玉便討鎖來看。

13. 秋試：明清時代鄉試都在八月舉行，故稱秋試，鄉試考中就是舉人。

## 串講

許伯謙秀才，名紹源，論《紅樓夢》，尊薛寶釵，貶林黛玉，說黛玉尖刻，寶釵端重，看來他是受了作者的蒙蔽。黛玉的確有尖刻處，但她天真爛漫，和寶玉真誠相處，寶玉怎會有第二個知己呢！何況因為寶釵使奸，黛玉不稱心，有所流露，也是有的……書中譏刺寶釵處不少，如寫她吃的藥叫冷香丸，是說她不是熱心人；寫她在水亭撲蝶時的言行，是挑撥婢女怨恨林黛玉；金釧死後，她拿出衣裳給金釧是想讓王夫人更加疑忌林黛玉。這都是很起作用的筆墨。何況她自己說沒有一個像楊國忠的哥哥或弟弟，這都是作者故弄狡猾，不能被他蒙蔽。寶釵往往在人前裝正經，如果旁邊沒有其他人，如寶玉看她的金鎖時，她就真情畢露了。

己卯年春天，我同伯謙討論這部書，一言不合，便相互爭吵，幾乎打起來，虧得毓仙從中調解，於是我們兩人發誓從此不談《紅樓》。秋天我們同船去參加鄉試，伯謙對我說："你為什麼這樣拘泥難化？"我說："你為什麼這樣固執難改呢？"大家一笑而罷。以後交談，再也不談及《紅樓夢》。

## 評析

文章表現出當時一些人對《紅樓夢》喜愛到了癡迷的程度，同時反映了這部偉大的作品所具有的神奇藝術魅力。曹雪芹在《紅樓夢》中塑造的眾多人物，個個血肉豐滿，栩栩如生。他們的言談舉止、喜怒哀樂交往活動，體現出這些文學形象和日常生活中的人一樣，性格複雜而豐富。從讀者而言，每個人的學識、經歷、生活環境各不相同，趣味、愛好及看事物的角度自然也不相同。對小說中的人物各有偏好，當然不奇怪。讀了《紅樓夢》，

薛寶釵像 （清・改琦繪）

沒有人不為曹雪芹卓越的文學才華所折服。他筆下的賈府的那些女孩子，每個人都個性鮮明，出類拔萃，又每個人都像身邊常見的人，讓人覺得似曾相識，甚至可以超越時間和空間的界限。以至於這位讀者在聽到他偏愛的人物受到非議時，感到猶如自己的親朋好友受到無端指責一般，怒不可遏。儘管這些人物故事都是小說家言，都是虛構的，也要為他們論個長短，甚至不惜大打出手。這說明《紅樓夢》讓人癡迷到了神魂顛倒的地步。春天的一番爭論後，曾經發誓不再為此書爭吵；秋天兩人碰見又都拐彎抹角地談及憋在心中許久的話題。雖然心照不宣，但顯然都不能釋懷。這一位褒林貶薛的先生以此文詳細列舉自己的論據。那一位呢，不得而知。這兩位《紅樓夢》迷的時代也早已過去，而《紅樓夢》是不朽的，它的魅力永存。